Paul Laraque

[dédicace manuscrite]

*Pur Jorge François,
Ju mucinas d'Mcordie,
avec mon amitié,
New York, le 24/4/99
Paul*

Oeuvres

incomplètes

(Poésie)

Les Éditions du CIDIHCA
Centre International de Documentation et d'Information Haïtienne
Caraïbéenne et Afro-Canadienne
359, rue St-Pierre, 1er étage
Montréal, Québec, Canada, H2Y 2L9
Tél: (514) 845-0880   Fax: (514) 845-6218
E-mail: edition@cidihca.com

OEUVRES INCOMPLÈTES (Poésie)
© Paul Laraque

Les Éditions du CIDIHCA
359 Rue St-Pierre, 1er étage
Montréal, Québec, Canada
H2Y 2L9
Téléphone: (514) 845-0880
Fax: (514) 845-6218
E-mail: edition@cidihca.com

Mise en page et
maquette de couverture: Frantz Balthazar

DONNÉES DE CATALOGAGE AVANT PUBLICATION (CANADA)
Laraque, Paul
Oeuvres incomplètes : poésie
ISBN 2-89454-059-0
1. Titre
PQ3949.L37A6 1998   841   C98-941557-0

Dépôt légal: premier trimestre 1999
Bibliothèque nationale du Québec
Bibliothèque nationale du Canada
Première édition.
Imprimé aux États-Unis

Distribution pour tous pays:

Haitian Book Centre
P.O. Box 690324
E. Elmhurst NY 11369-0324, U.S.A.
Fax: (718) 426-1931
E-mail: haitibooks@aol.com

Paul Laraque:
L'inlassable quête du dépassement

Un grand poète ne s'exprime pas: il parle, il écrit, et sa
parole, son écriture, voilà la liberté devenue lionne,
voilà le monde devenu lion, voilà l'histoire qui fait
claquer toutes les portes et pulvériser les barrières.

Alain Jouffroy

L'inlassable quête du dépassement se manifeste dans l'oeuvre poétique de Paul Laraque aussi bien que dans sa vie. Dépassement du conditionnement qui s'exerce dès l'enfance, continue tenace, et lâche rarement sa proie. La présente préface se concentrant sur cette oeuvre, c'est donc dans celle-ci que nous tenterons de cerner le processus du dépassement qui lie production littéraire et existence, car cette création ne perd pas son aspect d'expérience vécue. Contrairement à beaucoup d'intellectuels qui se prétendent puristes, chez Paul, l'homme ne trahit pas ses écrits, ni l'écrivain ses oeuvres.

Notre préface se veut aussi un guide surtout pour ceux qui, sans être des intellectuels, admirent la permanence de l'intégrité et du patriotisme de Paul et s'intéressent à sa poésie. Une poésie – particulièrement celle de la période de tentation surréaliste – qui pourrait dérouter certains si des balises ne venaient pas préalablement éclairer leur initiation à une merveilleuse immersion poétique. En somme, une invitation à écouter palpiter dans ses poèmes la conscience d'un patriote, très souvent l'écho ou la voix même de la conscience nationale.

Notre préface n'a pas l'ambition d'élaborer sur tous les recueils des *Oeuvres Incomplètes*, ce qui exigerait un volume. Elle se limite à présenter les traits essentiels de l'ensemble en insistant sur la tentation surréaliste plus difficile à comprendre.

Cette quête du dépassement se manifeste singulièrement dans deux courants: la tentation surréaliste et l'option marxiste. Deux courants que nous délimitions artificiellement dans le temps. Très artificiellement. *Ce qui demeure* et *Propos de sourcier* sont en effet des recueils de poèmes écrits à différents intervalles et publiés longtemps après.

La tentation surréaliste (1944–1954)

Les deux recueils, *Ce qui demeure* et *Propos de sourcier* attestent la tentation surréaliste dont nous expliquons ci-dessous la genèse. *Ce qui demeure* est particulièrement instructif, du point de vue du contraste de deux conceptions de création ou du glissement d'une conception à l'autre. La première section (pp. 9–32) comprend le long poème du même titre, en six parties, écrit avant la période de tentation ou d'influence surréaliste qui se manifeste dans la deuxième section (pp 33–47) avec "Une femme porte demain", "Sur un toit de vent", "La belle au bois dormant", "Casse-cou", "Le temps du péril" et "Clair d'orage".

Le poème en six parties est le fruit d'une longue gestation, de l'enfance à l'adolescence, qui a produit à l'âge de treize ans les premiers jets poétiques vite éliminés. Dès le début se manifeste un goût marqué pour la littérature. Si les études au Lycée Nord-Alexis de Jérémie se bornent au classicisme, au romantisme et au symbolisme, l'adolescent s'abreuve à une multiplicité d'autres sources. L'enfance s'était nourrie des contes et chansons des bonnes et petites servantes venues de la campagne, des préjugés et superstitions de Jérémie fière de son insularité, de ses légendes, des prouesses des frères Mauclair, de la résistance à l'occupation américaine. L'adolescent lit Émile Roumer, Jean F. Brierre, Fernand Martineau (notre cousin), Roland Chassagne, Roland Lataillade et avant eux Etzer Villaire et Edmond Laforest. La lecture des romans de cape et d'épée de Zévaco et de Dumas s'accompagne de l'enrichissement d'ouvrages commandés directement de France par notre cousin Lesly: Duhamel, Loüys, Loti, Gide. Sans oublier les scénarios de films illustrés de photos d'acteurs et d'actrices lus en silence dans le grenier de tonton Timothée et de papa Va. Dans cette grande maison vermoulue de Fond Augustin menaçant de s'écrouler sans grande résistance au moindre ouragan et tremblement de terre (1920–1937). Jérémie, elle-même, ville inspiratrice, ville-poète, ainsi décrite dans *Le vieux nègre et l'exil*:

> ville de lune et d'ouragans entre la montagne et la mer, avec ses colliers de rivières, sa ceinture d'arc-en-ciel et son corset de préjugés, ville que le nordé des passions a chavirée, ville-fantôme où les enfants, lâchant leurs cerfs-volants, brûlaient le juif au soleil de la déraison, ville des flamboyants de l'héroïsme, ville martyre livrée aux couteaux des tueurs à lunettes noires, ville sauvée des eaux, ville-phénix qui renaîtra dans nos bras. (p. 235)*

Le poème de la première section se compose de six parties: l'amour (pp. 9–10), la famille (pp. 11–13), le terroir haïtien (pp. 14–15), la poésie et l'art (pp. 16–20), une fresque historique d'Haïti (pp. 21–25); des thèmes traditionnels rejetés en majorité par le surréalisme qui, en outre, condamne en poésie tout concept de plan ou de composition. La poésie de cette section est moderne, inspirée de Nerval, de Rimbaud, d'Appolinaire, de Mallarmé, de Roumer, de Brierre et de Martineau. Les auteurs français cités plus haut sont considérés comme des précurseurs du surréalisme. La métaphore utilisée s'entend du rapprochement **conscient** de deux réalités plus ou moins distantes alors que le surréalisme conçoit la métaphore comme le rapprochement **fortuit** de deux réalités distantes. Voici comment Caillois signale cette différence:

> Il convient que l'esprit éprouve une joie spécifique à découvrir une relation inattendue, une connivence nouvelle dans le réseau de l'inextricable univers. Mais il me paraît nécessaire que l'esprit soit conduit à acquiescer et ne puisse même refuser de la faire sans mauvaise foi, au lieu que la conception surréaliste de

---

* À moins d'indications contraires, les citations réfèrent aux pages du présent ouvrage

l'image le mène à s'extasier à vide et de parti pris devant des
métaphores dont l'unique vertu consiste à décourager la moindre
justification. Autrement dit, j'admets que la force de l'image
croisse avec l'éloignement des termes, mais je pose en principe
que le rapport doit continuer d'être reconnu; certes une image est
d'autant plus efficace qu'elle est surprenante en un premier
temps, mais elle n'est efficace que parce que, d'abord, elle est
juste. (in *Caminade* 1970 : 152)

      Voyons des exemples du rapprochement conscient des
termes tirés de la première section:
> Et voilures les vents du soir se gonflent
> Du mystérieux message des grands arbres
> Riches de vie et de mort (p. 15)

Voilures, vents et arbres sont en principe des termes distants,
mais leur rapprochement ici est juste et reconnu. En effet, le vent
qui souffle sur les voiles comme moteur de propulsion épouse
leur forme et saisit le message de l'arbre transformé en mât qui
maintient les voiles. Arbre qui est à la fois vie et mort. Vie qui a
permis la croissance de l'arbre et mort grâce à quoi il est devenu
mât. La juxtaposition des termes peu ressemblants produit une
surprise, une relation inattendue, une connivence nouvelle. Même
effet dans:
> Le jeune soleil d'Haïti
> Gonflé comme une outre. (p. 14)

Soleil, terme de chaleur, est distant de l'outre, sorte de sac pour
conserver et transporter l'eau, mais le soleil étant jeune, plein de
tous ses rayons non encore déversés, se gonfle comme une outre
gonflée d'eau. Une connivence nouvelle naît parfois de l'anti-
cipation des rôles: ".. l'oasis qui attend le pas de la fatigue (p.
32)"; "la caresse a perçu le rythme de la chair" (p. 9). D'ordinaire,
le pas du voyageur fatigué cherche l'oasis et la caresse provoque
le rythme de la chair. Mais ici l'oasis anticipe le pas du voyageur
et la chair s'active dans l'espoir de la caresse, l'effet précédant la
cause.
      Le profil du mécanisme de telles images permet au
lecteur d'en trouver d'autres d'autant que les thèmes traditionnels
signalés plus haut sont facilement repérables. Ainsi peut-on dire

sans grand risque de se tromper que les pages 21–25 captent en gerbes de lumières une large tranche de notre histoire: Colomb et le génocide des Indiens contraints à faire les rivières "vomir le métal"; la traite des noirs, des négriers aux moulins des plantations mangeurs d'esclaves. "Le sol chante sa richesse / Mais c'est un chant de sanglots / et c'est un chant de peur" (p. 21). Puis, nos héros: le petit-fils d'Arada (Toussaint); Capois au "cheval cambré dans l'angoisse des poudres", le madras rouge de l'empereur (Dessalines); la geste du Roy (Christophe); "une main tendue / D'un continent dicte la religion" (Pétion), "Une voix sans couleur / Chargée de toutes les chaînes brisées / A remué le soir du monde" (Péralte); "le nouveau prophète tombe / Face contre terre" (Roumain). En contraste, la deuxième section du recueil (pp. 33–47) et *Propos de sourcier* indiquent le glissement vers le surréalisme ou la tentation surréaliste. "Une femme porte demain" est conforme à l'importance primordiale que les surréalistes attribuent à la femme. "Sur un toit de vent", premier poème d'écriture automatique du poète, où le toit obstacle au vent se confond avec lui si bien que le vent se transforme en toit. "Clair d'orage" dont le titre n'est pas sans rappeler *Clair de terre* de Breton. Se manifeste dès lors la nécessité du dépassement de la poésie juste et reconnue. Le poète craint le danger du rôle excessif de l'intelligence et de la raison conduisant à la page atrocement rétrécie et même à la page blanche. Il aborde donc une voie qui préconise une place plus large à l'imagination libérée du carcan de la logique. Il se lance à la recherche du fonctionnement réel de la pensée, du point de rencontre du rêve et de la réalité, de la vie et de la mort, du passé et du futur, du communicable et de l'incommunicable. D'où l'exigence de la plongée dans l'inconscient pour ramener l'unique beauté, la beauté convulsive.

À l'instar de la musique qui séduit par les sons, de la peinture qui fascine par les couleurs et les formes (et tourne le dos à la photographie), sans besoin de signification ou d'explication, la poésie doit provoquer un choc émotionnel par l'étincelle des images dont le rythme prolongé augmente l'intensité.

La deuxième section de *Ce qui demeure* abonde en images nées le plus souvent du **rapprochement maintenant fortuit** de réalités distantes niant toute justesse:

> Quand l'éclair de tes yeux fixe la peur
> Qui rôde bête traquée autour de ton soleil
> Je suis le propre vertige d'un arbre
> Dont la foudre a créé l'absence
> ...
> J'attends le bond d'un sein
> Qui crève la face béat du ciel
> Et inverse la calotte des merveilles. (pp. 33–34)

> Par un double couvercle qui éclate en étoiles
> L'arche des eaux à deux battants s'ouvre
> Sur l'escalier de cristal que je descends
> la tête la première (p. 46)

Ainsi dans "Sur un toit de vent" l'enchantement fugace mais convulsif d'un acte sexuel accidentel dans une chambre face à la mer transforme le toit construit comme un pare-vent en une bourrasque de délire, le couple sur le toit au lieu d'être dessous. La flêche de l'homme et le glaive de la femme réconciliés dans la tourmente projettent "des lendemains qui flambent / De tous les jets d'eau du monde".

Sans renier les thèmes traditionnels de la première section, le poète pratique donc un virage poétique, une percée dans l'univers surréaliste. Un dépassement poétique fondamental qui laissera une trace profonde. Dans cet univers, le phénomène de la fascination Breton.

La fascination Breton

Elle commence à la découverte des oeuvres du "mage", à la suite de la lecture de *Mes seins couleront* de René Bélance. Elle se renforce à l'arrivée de Breton en Haïti, "Tête léonine, crinière de soleil, dieu enfanté par la foudre" (P. Laraque 1971 : 127). De nombreuses références à Breton, à ses oeuvres, à son épouse, "telle se révèle, dans un sourire miraculeux qu'assiègent encore les larmes, Élisa Breton, la femme-enfant d'*Arcane 17*" (P. Laraque: 127).

Suivent quelques exemples de l'influence de Breton dans des poèmes de Paul:

> Le soleil chien couchant
> abandonne le perron (Breton 1966 : 63)
> *Un rayon de lune*
> *est un petit chien qui veille (p. 33)*
> Sur le pont, à la même heure
> Ainsi la rosée à tête de chatte se berçait (Breton 1966 : 68)
> *Avec le cercle de mon regard qui projette ton ombre de chatte*
> *sur le mur (p. 44)*
> ... que nous placions nos mains sur les lèvres des
> coquilles qui parlent sans cesse (Breton 1962 : 85)
> *Le lambi somnambule sur la table*
> *Crie l'alléluia d'une gueule sans gêne (p. 38).*

Paul dédie *Ce qui demeure* à son épouse Marcelle, "Ma femme aux yeux d'eau pour boire en prison" (Breton 1966 : 95). Marcelle, elle aussi, "a la chevelure de feu de bois" et maintenant "aux yeux pleins de larmes". Le désir d'"union libre" de Paul qui chagrinait tant papa s'est fondu, en 1951, dans un mariage qui n'a jamais édulcoré l'amour de Paul et de Marcelle ou "le secret / De (s') aimer / Toujours pour la première fois." (Breton 1966 : 181).

Propos de sourcier

La tentation surréaliste s'enracine avec *Propos de sourcier*. Sourcier dans le sens littéral de chercheur de sources souterraines et en poésie "de prospections dans le sous-sol de l'homme" (P. Laraque 1971 : 28) ou comme l'entend Breton dans "Poisson Soluble": "si nous revenions jamais de notre état, ce serait à la façon des sourciers pour toucher le ciel de notre baguette de foudre" (Breton 1962 : 116).

La citation extraite d'*Arcane 17* sous-jacente au titre du recueil, indique les trois "hélices de verre", à savoir l'amour, l'art, la liberté, qui en sont les thèmes essentiels. Ils se chevauchent si bien qu'ils forment parfois un dédale dont le poète ne semble pas trouver facilement le fil d'Ariane que cache Athéna. Athéna, l'une de celles qui font partie d'un désir sexuel rétroactif. L'affirmation de l'identité et la revendication raciale dépassent le stade de la négritude antiraciste et débouchent sur la fraternité universelle visant à la fois à la destruction des structures vermoulues et à l'établissement d'un monde juste: "Des images dont la dernière s'ouvre sur un autre monde (qui n'est, selon le mot d'Éluard, autre part que dans le nôtre) où "personne ne cassera plus la gueule à la lune" et où se réalisent déjà des promesses de "miel sur la langue en fleur des petits enfants" à qui la vie accorde désormais le plein droit de rire (*Dernier Quartier*, poème inédit et détruit de mon frère Guy F. Laraque; p. 69)

La présence en Haïti de Breton (poésie révolutionnaire) de Lam (peinture libératrice), de Mabille (science égalitaire), à la suite de Césaire (fossoyeur de préjugés et d'inégalités), en plein coeur d'un despotisme crétin plus que centenaire, n'était pas une simple coïncidence, mais un hasard objectif, prometteur d'espoir. Constatation explicite dans les pages dédiées à Césaire, à Breton, à Lam et à Mabille. Pages où les religions occidentales, africaines, indiennes, orientales et les mythes se côtoient et s'harmonisent. La négation du système capitaliste révèle un trait surprenant. Le poète ne se contente pas de n'être pas religieux, d'être antireligieux, il loue Satan:

J'augure la fête de ton réveil parmi l'éclat des jets d'eau, le frisson des asphodèles dans la coup renversée du soir et les grands feux que projette l'ange déchu dont nous sommes solidaires.

*

La gloire de satan offusque l'impuissance d'un dieu. Si tu conçois l'inutilité de la prière, saisis ta seule chance de négation. Les flambeaux du ciel que portent d'invisibles lutins n'admettent nulle peur et sollicitent tout élan. Je me lance, ferveur irréfléchie, dans l'arène des mystères" (p. 56)

Jets hyperboliques, dira-t-on, si l'on veut être subjectif.

Mais déconcertants pour tout matérialiste scientifique convaincu. Les derniers vers du recueil énoncent une maxime dont le poète ne se départira jamais plus et qui préfigure son option politique: "si nous voulons vivre pour une cause, il faut être prêts à mourir pour elle / ... si nous voulons être prêts à mourir pour une cause, il faut d'abord vivre pour elle." (p. 89)

Paul est au courant du schisme qui a divisé les surréalistes sur la position à adopter concernant le parti communiste français. Alors qu'Aragon et Éluard en deviennent membres, Breton qui l'a joint également ne peut s'y astreindre et rompt avec lui. De 1945 à 1954, Paul subit l'influence d'amis et de camarades qui font partie de l'avant-garde littéraire (Bélance, Magloire St Aude, Roger Gaillard) et de l'avant-garde politique (Jacques S. Alexis, Depestre, le groupe de "La Ruche"). La lecture de Roumain, de Charlier et de Beaulieu, l'amitié d'Anthony Lespès, la situation agonisante des masses haïtiennes sous la botte d'une dictature soudée à l'impérialisme que dénonçait le journal socialiste **La Nation** finissent par rompre l'ambivalence politique de Paul qu'avait entretenue la fascination de Breton. Il opte pour Roumain, c'est-à-dire le socialisme comme idéologie et pratique révolutionnaire dans son poème *Une seule voie* écrit en 1954 à l'occasion du dixième anniversaire de la mort de Roumain: "Je t'amène par la main aux sources de la vie / voici des peuples la grande assemblée / pour la récolte dans la rosée" (p. 153). Référence aux *Gouverneurs de la rosée* de Jacques Roumain, évidemment. La quête du dépasement conduit Paul de la poésie engagée à la poésie révolutionnaire au service du marxisme. S'ouvre ainsi, à partir de 1954, l'ère de l'option marxiste.

L'option marxiste (1954–) *(Fistibal; Les armes quotidiennes / Poésie quotidienne; Sòlda mawon / soldat marron[1]; Le vieux nègre et l'exil; Révolution)*

Ayant opté pour le marxisme, il est apparu clair au poète qu'il se devait d'utiliser un langage moins sophistiqué pour atteindre un plus grand nombre de lecteurs et d'auditeurs. Dans le contexte d'une communication plus directe avec le peuple haïtien, "C'est à nous à créer notre propre formule et à trouver la voix qui atteigne le peuple au coeur" (*Propos de sourcier*, p. 86). *Fistibal* est écrit en créole et publié en 1974. Les poèmes clairs et directs traitent du système d'exploitation et du rôle du peuple pour le changement de son destin: "pou pèp-la fini ak mayi tout eksplwatè / pou pèp-la rache mizè ak gwo traktè / pou pèp-la sèl gouvènen Ayiti-Toma" (p. 37). Le talent réel prouve qu'il peut en français ou créole, créer des images inattendues et surprenantes: "**Lakansyèl**". son riban k'mare lan cheve lapli... son laso k'pase la kou solèy / pou fèl tounen vin klere latè" (p. 9). "**Sèvolan**". Ti gason / monte kap ou / file file ou / lò solèy leve / tout zenglen se zèklè" (p. 11). Le recueil révèle le respect dû au créole comme à toute langue digne de ce nom. Un respect qu'on aimerait trouver chez beaucoup d'écrivains qui pensent écrire n'importe quoi parce que c'est en créole et que seul compte le créole des rues.

Les Armes quotidiennes / Poésie quotidienne

Réunion de deux recueils en un seul ouvrage qui a reçu le premier prix de poésie francophone décerné en 1979 par la Casa de las Americas fondée à la Havane par Ayda Santamaría, compagne de guerrilla de Fidel Castro. La traduction de l'ouvrage par la talentueuse poétesse cubaine, Nancy Morejón, consacre internationalement la poésie de Paul Laraque traduite plus tard en anglais et en italien.

L'auteur a fourni les renseignements suivants:
Les Armes quotidiennes, choix de poèmes de combat, de 1945 à 1975 (Haïti et US). *Poésie quotidienne*, journal poétique écrit du 27 septembre au 28 novembre 1975 – à raison d'un poème par jour – écriture automatique à la réception plus travail formel (Re; texte liminaire intitulé "expérience politique". Conception poé-tique: "arme de combat") (Roumain).

Nous constatons un double dépassement: dépassement

poétique et dépassement idéologique. Dépassement poétique: le poète reçoit le fonctionnement réel de la pensée par l'écriture automatique et la soumet au crible de la critique comme le diamant brut est taillé et ciselé à la perfection. Dépassement idéologique en ce sens que le poète militant, au service du socialisme qui convertit le rêve en réalité, ne transige pas en défense de la révolution. Mais à l'intérieur d'une telle lutte, demeure entier le droit à la création sans aucun contrôle bureaucratique de leaders en mal de pouvoir absolu et tyrannique. C'est la contribution que des écrivains révolutionnaires et humanistes tels que Breton, Sartre, Fanon et Paul entendent apporter au marxisme pour l'empêcher de se scléroser en un dogme rigide violant les droits humains sous le fallacieux prétexte de lutte contre le réformisme.

La femme, l'amour, le pays, la révolution universelle sont des thèmes intégrés dans la majorité des poèmes des deux recueils, plus particulièrement *Les Armes quotidiennes.* Dans "Poème pour toi":

> ton souffle soulève tes seins
> C'est ta beauté qui bouge
> ...
> Je songe je songe à Guernica
> Je t'enlace je t'enlace
> et que demeure la voix de Lorca
> ...
> tu t'attristes et souris dans les yeux des paysans
> et ils sont l'oxygène de l'air
> quand ton regard porte la lumière
> de nos plus grands ciels d'été (p. 149)

Et notre grand critique Maximilien Laroche d'observer judicieusement à propos du même poème publié antérieurement sous le pseudonyme de Jacques Lenoir:

> À l'image du pays s'est associée celle de la femme et l'amour de
> la femme est devenu indissociable de celle du pays...
> L'amour du pays et de la femme n'est cependant pas exclusif de

la conscience de race. Au contraire, l'amour de la race joint à celui de la femme et de son pays sont la meilleure ouverture à la fraternité humaine. (Laroche 1970 : 56)

Presque dix années plus tard paraît *Solda mawon / Soldat marron* (traduit ou plutôt adapté en français par notre barde national Jean F. Brierre).

Sòlda mawon

Sòlda mawon est l'amplification en créole de la fresque historique en français dans *Ce qui demeure* (pp. 21–25). Cette fresque de sept pages s'est amplifiée (82 pages) et devenue, à notre connaissance, le premier grand poème épique en créole de notre histoire, de Colomb aux treize héros de Jeune Haïti et à Alexis. Les prouesses de nos leaders sont évoquées à l'occasion de faits ordinaires de l'enfance et de faits courants engravés dans la mémoire de l'auteur: "Sòlda mawon. Se la vi yon ti nèg Jeremi / se lejann yon vye solda / ki makonen ak listwa / tout nèg mawon d'Ayiti" (P. Laraque 1987 : 48). Lutte contre l'invasion espagnole en 1492; résistance des Indiens et des noirs contre l'asservissement et l'esclavage; lutte contre la première occupation américaine; contre l'armée indigène d'occupation et le macoutisme. Lutte qui dépasse nos frontières et se solidarise avec les autres peuples pris dans les rets du néo-colonialisme. On peut reprendre l'observation faite par Laroche sur Jacques Lenoir:

> Jacques Lenoir ne veut s'évader ni du réel ni du présent. Il veut seulement les débarrasser de ce qui les rend insupportables. Jacques Lenoir construit à partir des éléments les plus humbles de la réalité haïtienne, un univers qui ne cesse jamais d'être féérique ne perd jamais son poids d'actualité... et ses descriptions mêlent réalisme et merveilleux. (Laroche 1970 : 186)

Le soleil joue un rôle important pour la santé physique et morale de notre peuple. Il symbolise notre triomphe des ténèbres et revêt l'aspect d'un homme ou d'une femme:

solèy pa fanm
solèy pa gason
li gason lè li konpè jeneral solèy
li fanm
lè li la rèn solèy.

Son rôle néanmoins ne change pas:

solèy fèmen je l
pou n sa reve
solèy louvri je l
pou n sa kanpe
pou kò n li pote chalè
pou lespri n li pote limyè.

Pour une meilleure compréhension de la poésie de Paul nous recommandons la lecture de *L'image comme écho* (pp. 75–77; 81–84; 88–89; 124–125) et de *Le Miracle et la Métamorphose* (pp. 201–204; p. 209) de notre exceptionnel critique littéraire Maximilien Laroche.

À l'élan révolutionnaire du précédent recueil succède l'accalmie du rêve nécessaire à la recréation de l'enfance et de l'adolescence à l'âge mûr, pour une énergie nouvelle permettant de reprendre souffle. Ainsi naît: *Le vieux nègre et l'exil*.

Le vieux nègre et l'exil

Le départ pour l'exil que le poète espérait bref, après sa retraite de l'armée, a duré presque trente années. La lutte pour la libération du pays n'a pas eu de pause. Il a fallu combiner poésie et l'aspérité d'une existence à reconstituer à partir de zéro. Dans le givre, la neige, le parking des voitures, le retour sur les bancs de l'école, les manifestations de protestation contre la barbarie duvaliériste qui ne lâchait pas prise. La foi du patriote dans le peuple haïtien – qui a pris un aspect mythique – a maintenu vivace son espoir "dans la tempête de l'histoire un peuple en dérive / sur les vagues du désespoir découvre la rive" (p. 279). L'esprit a résisté à l'assaut sauvage du temps. Mais les griffes puissantes et lacérantes d'un long exil n'ont pas ménagé le corps qui s'est affaibli. Le poète sent le besoin de regagner, grâce à la recréation de l'enfance et de l'adolescence, l'énergie de la jeunesse du corps nécessaire pour mener le combat jusqu'au dernier souffle.

La mémoire recrée systématiquement l'enfance et l'adolescence embellies par la nostalgie d'un passé à jamais perdu. "L'enfance où tout concourait cependant à la possession efficace, et sans aléas, de soi-même" (Breton 1962 : 55). Elle aide Paul à revivre "la vraie vie": la famille, les camarades, les premières amours, le sentiment de souveraine insouciance qui oublie vite le passé et ne conçoit pas l'avenir. De Jérémie à New York, pas géant dans le temps et l'espace. Adaptation crucifiante que compensent la ferveur de l'épouse fidèle et vigilante, le visage merveilleux des enfants aux regards pourtant perplexes et interrogateurs. Le poète est l'organisateur des rêves dont il ordonne et contrôle la folie grâce au sable de l'exil qui lui dessille les yeux et les maintient braqués sur la tragédie d'un pays adoré: "si je meurs en exil / les courants sous-marins m'emporteront aux rives natales / où mon fantôme invincible aux balles / se mêlera aux hommes et aux femmes de mon île" (p. 277). L'exemple de Cuba, héroïque et triomphant, nourrit la certitude qu'en Haïti aussi la révolution transformera le rêve en réalité malgré sa présente "danse sur le volcan".

La dernière saison

Le premier exil à peine a pris fin que commence le deuxième, prolongé par une pénible et révoltante occupation téléguidée par des péraltistes renégats. Le rêve semble se substituer à l'espoir. À bien réfléchir, le néologisme rêvolution (rêve et révolution) pose d'entrée un problème. Est-il masculin ou féminin? *La dernière saison* constate l'échec de la révolution ou de la réforme radicale espérée. Le rêve paraît renvoyer sine die la révolution. En effet, on a fort à faire, pour se convaincre que "l'avenir est préservé" quand "rien ne bouge" parce que "le temps s'est cassé". Lorsque le rêve est réduit en miettes, "l'espoir crucifié", "la flèche au coeur de la liberté", "le peuple entre le tambour et la croix". Le poète incroyant tente malgré tout d'invoquer la résurrection, phénomène ultra-religieux. Le magnifique poème qui se refuse poème affirme l'état de grâce qui précède la fin qu'on croit proche. C'est un cri d'amour, un cri de liberté, un appel au ralliement d'un militant qui, toute sa vie, a été un rassembleur d'énergies. Le chant de cygne, peut-être, d'un poète qui refuse de mettre bas les armes et se persuade que la poésie, arme miraculeuse, changera la vie et transformera le monde. Dans un avenir lointain mais sûr.

Nous avons essayé de montrer que le dépassement poétique de Paul – ou le passage de la poésie intellectuelle à la poésie rêve-imagination, puis à la poésie militante ou politique – a correspondu au passage de l'homme neutre à l'homme engagé, de l'engagé au marxiste sans adoption de parti. Certains pensent qu'au dernier moment, ce dépassement s'est figé, le militant n'ayant pas accepté d'être un leader. À tort ou à raison, il n'a pas voulu d'un titre, à son avis, galvaudé et parce que le point de rencontre des conditions subjectives et objectives qu'exige tout mouvement révolutionnaire n'est pas encore venu. Il a refusé d'être un politique mais l'intégrité et la dignité de ses options le cuirassent contre toute critique objective. Son choix a été d'être un poète au service de son pays et de son peuple dans le contexte d'un socialisme couleur de pain et de liberté. Il continue d'enrichir un univers poétique salué par des écrivains exceptionnels internationalement reconnus. À commencer par le "mage". En effet, dès 1946, Breton déclare: "Je suis sûr aussi que de longs fragments de "Ce qui demeure", que des poèmes comme "Glèbe", "Sur un toit de vent" sont très beaux... Je suis tout à votre disposition pour soumettre toute espèce de manuscrit de vous aux éditeurs de Paris." (p 319). Le grand poète américain Jacques Hirschman observe: "Laraque carries on one of the most profound cultural and political traditions in the Americas, one in which poets are not amputed from the life of their people but serve their people's struggles in direct political ways" (Laraque 1988 : 7)

(Laraque est fidèle à l'une des plus profondes traditions culturelles et politiques des Amériques, savoir que les poètes ne se dissocient pas de la vie de leur peuple mais s'implantent à ses côtés au beau milieu de la lutte populaire dans des activités politiques directes.) (notre traduction).

Selon Maximilien Laroche: "L'engagement dans le combat contre les mots et la lutte contre une histoire révoltante ne sont pas dissociables dans la poésie de ce soldat-marron" (Paul Laraque, 1989, 2ème page de couverture de *Fistibal/Slingshot*).

Paul Laraque, Don Quichotte de la poésie, donne l'abrazo au Don Quichotte de la Révolution cubaine et reste lui ausi:

...fidèle
à la flamme folle de la raison populaire
et à cette Amérique enfin
dont (Fidel) dessine le nouveau visage" (p. 154).

Boulder, le 18 juillet 1998.

Franck Laraque*

---

(1) Bien que *Fistibal* et *Sòlda mawon* doivent faire l'objet d'une édition séparée sous le titre de **Pwezi Kreyòl**, ces recueils de poèmes sont cités ici pour confirmer "l'inlassable quête du dépassement" sans reniement dans l'oeuvre et la vie de Paul Laraque.

* Exilé politique de 1957 à 1986, intellectuel activiste aux État-Unis contre la tyrannie duvaliériste, professeur *emeritus* de l'Université de la Ville de New York, Franck Laraque est l'auteur de: *La révolte dans le théâtre de Sartre,* 1976 (thèse de doctorat); *Des impératifs de changements radicaux en Haïti* (1976); *Défi à la pauvreté (Construire Haïti par nous-mêmes),* 1987.

Bibliographie

Balakian, Anna. *The Literary Origins of Surrealism.* New York, N. Y. University Press; 1947.

Bélance, René. *Luminiares.* Port-au-Prince, Haïti, 1941.

_____. *Pour célébrer l'absence.* Port-au-Prince, 1943.

_____. *Survivances.* Port-au-Prince, Imprimerie de l'État, 1944.

_____. *Épaule d'ombre.* Port-au-Prince, Imprimerie de l'État, 1945.

_____. *Nul ailleurs.* Port-au-Prince, Imprimerie La Phalange, 1984.

Breton, André. *L'amour fou.* Paris, Ed. Gallimard, 1937.

_____. *Les Vases communicants.* Paris, Ed. Gallimard, 1955.

_____. *Manifestes du surréalisme.* Paris, J-J Pauvert, éditeur, 1962.

_____. *Nadja.* Paris, Ed. Gallimard, 1964.

_____. *Arcane 17.* Paris, J-J Pauvert, 1965.

_____. *Clair de terre.* Paris, Ed. Gallimard, 1966.

Caminade, Pierre. *Image et Métaphore.* Paris, Bordas, 1970.

Chassagne, Raymond. *Mots de passe.* Sherbrooke, Ed. Naaman, 1976.

_____. *Incantatoire.* Port-au-Prince, Ed. Regain, 1996.

Davertige (Villard Denis). *Idem / et autres poèmes.* Paris, Pierre Seghers, Éditeur, 1964.

Étienne, Assely. *Dolopole, espace du non-sens et de l'absence.* Paris, La

Pensée Universelle, 1990.

Frankétienne. *Ultravocal* (Spitale). Port-au-Prince, Imprimerie Serge Gaston, 1972.

_____. *L'oiseau schizophone*. Port-au-Prince, Ed. des Antilles, 1993.

Garoute, Hamilton. *Jets Lucides.* Port-au-Prince, Éditions Henri Deschamps, 1945.

Laraque, Franck. *La révolte dans le théâtre de Sartre.* Paris, Ed. Universitaires, 1976.

_____. *Défi à la pauvreté (Construire Haïti par nous-mêmes).* Montréal, CIDIHCA, 1987.

Laraque, Guy F. *Sur la poésie.* Prix Deschamps 1992. Port-au-Prince, Ed. Henri Deschamps, 1993.

_____. *Les oiseaux du temps* (suivi de *Confettis*). Port-au-Prince, 1996.

Laraque, Paul. *André Breton en Haïti.* Nouvelle Optique, Vol. I, mai 1971.

_____. *Ce qui demeure.* Montréal, Nouvelle Optique, 1973.

_____. *Fistibal.* Montréal, Nouvelle Optique, 1974.

_____. *Les armes quotidiennes / Poésie quotidienne.* Prix Casa de las Americas 1979, La Havane, Ed. Casa de las Americas, 1979.

_____. *Poesia cotidia / Las armas cotidianas* (traduction de Nancy Morejón). La Havane, Ed. Casa de las Americas, 1983.

_____. *Sòlda mawon / Soldat marron* (Traduction de Jean F. Brierre). Port-au-Prince, Ed. samba, 1987.

_____. *Camourade* (Traduction de Rosemary Manno). Connecticut, Curbstone Press, 1988.

_____. *Le vieux nègre et l'exil.* Paris, Ed. silex, 1988.

_____. *Fistibal / Slingshot*, I & II (Traduction de Jack Hirschman). San

Francisco, Seaworthy Press / Ed. Samba, 1989.

_____. *Prospos de Sourcier* (fragment) in *Plein Marge* No. 18, Paris, Ed, Peters-France, 1993.

_____. *La sabbia dell'esilio* ("Le sable de l'exil", in *Le vieux nègre et l'exil* – Traduction de Giancarlo Cavallo). Salerno, Multimedia Edizioni, 1994.

Large, Josaphat. *Nerfs du vent.* Paris, P, J. Oswald, 1975.

_____. *Chute des mots.* Paris, Ed. Saint-Germain-des-Prés, 1989.

_____. *Pè Sèt.* Miami, Ed. Mapou–J. Large, 1994.

Laroche, Maximilien. *Le miracle et la métamorphose.* Montréal, Éditions du Jour, 1970.

_____. *L'image comme écho.* Montréal, Éditions Nouvelles Optique, 1978.

Magloire Saint-Aude. *Veillée.* Port-au-Prince, Imprimerie Renelle, 1956.

_____. *Déchu.* Port-au-Prince, Imprimerie Oedipe, 1956.

_____. *Dialogue de mes lampes* (1941). Port-au-Prince, Imprimerie Oedipe, 1957.

_____. *Dialogue de mes lampes* suivi de *Tabou* (1941) et de *Déchu* (illustrations de Wilfredo Lam, Hervé Télémaque, Jorge Camach). Paris, Imp. François, 1970.

Métellus, Jean. *Au pipirit chantant.* Paris, Ed. M. Nadeau, 1978.

_____. *Hommes de plein vent.* Paris, Ed. Silex, 1992.

_____. *Filtro Amaro* (Philtre Amer). Torino, La Rosa, 1996.

Nadeau Maurice. *Histoire du Surréalisme.* Paris, seuil, 1964.

Remerciements

Je remercie Marcelle, compagne de ma vie et souveraine de l'exil ou Mamour comme l'appellent nos petits-enfants; mes fils Max et Serge, ma fille Danielle et son mari Luigi, pour l'aide morale et matérielle; mon frère Franck et ma belle-soeur Anne-Marie, lui pour sa préface et tous deux pour la contribution financière; Max Manigat, représentant de CIDIHCA et de "Sosyete Koukouy" à New York, qui a pris l'initiative de publier le présent volume de mes *Oeuvres Incomplètes*; Dr. Georges Jean-Charles pour avoir traduit la lettre d'Aydée Santamaría, camarade de combat de Fidel Castro; les peintres Davertige (Villard Denis), Raphaël Denis et Frantz Balthazar pour les illustrations; les parents, amis et lecteurs qui, en répondant à l'appel de "Haitian Book Centre", ont facilité la parution de ce livre.

Remontant le cours des ans, je remercie également Guy Clérié, l'*alter ego* à qui est dédié *Ce qui demeure*, René Bélance, ami fraternel grâce à qui j'ai découvert le surréalisme et rencontré André Breton; Morisseau Leroy, le Legba qui m'a ouvert la porte de la poésie dans la langue de notre peuple; Maximillien Laroche, professeur de littérature et critique par excellence qui, dès Jacques Lenoir, a fait connaître mes poèmes d'expression tant française que créole en Haïti et à l'étranger; Jack Hirschman aux États-Unis et Jesús Cos Causse à Cuba, mages et militants célébrant, sur des rythmes différents, l'union indissoluble du rêve et de la révolution; les poétesses Nancy Morejón, Rosemary Manno, Boadiba et le poète Giancarlo Cavallo qui m'ont traduit en espagnol, en anglais et en italien. Je suis enfin reconnaissant à mon cousin Fernand Martineau, de regrettée mémoire, qui m'a très tôt appris que la poésie, comme l'amour et comme la liberté, est question de vie et de mort.

New York, le 27 août 1998.

P. L.

À Mamour,
à nos enfants et petits enfants,
avec Haïti au coeur.

P. L.

La tentation
surréaliste

Ce qui demeure

À toi,
"ma femme aux yeux d'eau pour boire en prison",
ces fruits de l'orage qui te précéda.

À Guy Clérie, mon frère quotidien, et à mon ami Franck Bayard qui me suggéra, un jour, d'écrire un long poème,

je dédie – dans l'espoir de recréer le climat de correspondances si cher –

ce faisceau de forces qui demeure, après mon "combat contre les ombres".

Souvenir vente dans les mâtures
Port à l'aube
Mon adolescence au réveil

Chaque visage est l'esquisse d'un rêve

Les chevelures ont goût de brise
Voiles légers enguirlandant les corps
Remous devinés des galbes frais

Jeunesse fleurie aux sentiers des tendresses

La fillette recréée tressaille de ma présence
Et désir gonfle ses flancs
Comme lèvres d'amour

Ma main tente l'impossible frisson

Comme vent d'automne feuilles rouillées
Un souffle bourrasque en moi les joies dérisoires
Dans le désert labouré de l'être
Amour pathétique et nu

La souffrance abolit l'illusion des limites

Livré à toi
Clarté de mes ombres
Ombre de mes clartés
Voici le dépouillement d'une âme fière

J'ai dépassé ma conscience de solitude

Mais lueur d'un sursaut
Dans l'évanescence des sens
L'instinct de vie a retenu l'appel
Et la peur brisé les chaînes

La caresse a perçu le rythme de la chair

Rousses comme miel
Filles couleur de nuit de lune
Noies sentant la terre et l'eau
Toutes m'ont donné l'orgueil d'être homme

J'ai chatié ton absence dans l'ivresse des hanches

Qu'importent la tempête
Et la fragilité des vols d'oiseaux
Tandis que renaît un coin de bleu
L'émoi profond du sol a libéré la source

Et l'âme remuée est prête à la semence

*

Surgi de l'ardeur de tes reins
Où logea mon souffle primordial
Nourri de l'éclat de ton sang
Ma chair élaborée par tes humeurs secrètes
Ô vous dont l'amour fit ma vie
Comblant le voeu immémorial de créer
Je suis un instant de mon père
Mais l'arbre de ce fruit
C'est toi Notre Dame du Logis

Crispée aux draps blancs de souffrance
Chaque torsion est rançon d'une étreinte
J'entends les râles de ma soeur
Où flotte soudain l'angoisse de mourir
Le bond d'un sanglot
Expirant dans les affres du sourire
La jette au-delà de sentir

Dans le silence qui prie
Comme une ombre
Voici Notre Dame du Logis
Mais le mystère des entrailles se fait cri de l'enfant
Ô lambeaux de soi aux grelots d'une voix

Petite fille dans la lune
Joue parmi la jeunesse de ton rire
Et le chant de ta santé
L'insouciance de l'heure
Est le parfum des lis
Devant que vienne le prince charmant
Poser le sceau de l'homme
Garde le sceau de Dieu
Comme un jardin clos
Et veilleuse de nuit
C'est Notre Dame du Logis

Entre ce fils haut et sec

De vieux lord
(Déférent
Dans le silence et l'humour
Dépouillé
Jusqu'à nudité
D'artifices et d'élans)
Et ce grand beau gars
(Net comme l'or
Chaud de la richesse d'une sève généreuse)
Dont la pudeur jugule mal
Un héritage maladif de sensibilité accumulée
Je suis l'équilibre de coeur et de raison

Entre moi et ceux-là
(Dont le destin s'ébaucha
Dans le ventre de ma mère)
Lien plus fort qu'une membrane
La complicité sourde des substances profondes

Mon choix contraint le sang
Ce frère hors nature
Ce frère élu
Jésus l'a dit
C'est ton fils
Notre Dame du Logis

Résonance propre
L'amitié me complète
Et m'éloigne de Narcisse
Un jour d'accord total
J'ai pensé la limite
Fraternité des entrailles
Devant l'épouvante de la mort

Dans le choc des luttes stériles
L'énergie trempée d'ans s'émiette
Et l'espoir est flamme tremblotante au vent

Si sa raison s'égare
Je suis sa vertu répétée
Et face à l'argent le terrible argent
(Maître de céans par l'absence)
Je murmure son Dieu à mon père
Chaque mot est assaut à l'étincelle lucide

Abolis l'espace
Notre Dame du Logis
Et retrouve les phrases nécessaires
Remplace ces lèvres maladroites
Ces pauvres lèvres qui ne savent pas dire la Présence
Intervention fatale est garantie de miracle
Dicte au moins la pensée
L'Être n'est pas abandon
Voici la main qui sauve
Voici la lueur de vie

*

Sous les frissons du ciel
Mouvement glauque d'un sable infini
La mer nue de voiles
Couchée par l'haleine de Dieu

Près des lis purs comme le doigt de Marie
La caravane des roses multicolores
À l'insolence tendre des lèvres de fillettes
Tremble dans l'espoir muet des bleuets
Et le parfum des jasmins qui parle d'émoi

Le rythme d'aimer pourrit les fruits mûrs
Et les graines sont la gloire d'engendrer
L'herbe meurt de vivre
Pour vivre de mourir

Les beaux palmistes de mon pays
Lisses comme cuisses de femmes
Sont le jet d'une puissance souterraine
Portant jusqu'à l'azur
L'épanouissement de la sève

Si la pluie m'encage
Je libère ma joie d'eau
Et suis un toit qui ruisselle sous l'averse
Désir exhaussé au bonheur de confondre
Et ma chair et cette glèbe
Dont l'odeur submergée est mienne

Le jeune soleil d'Haïti
Gonflé comme une outre
Ardeur souvenue des ciels africains
M'est clarté dans les veines
Et feu aux entrailles

Plus chaste que naissance de seins
Et plus frais

Le ciel sur ma bouche
A saveur impossible
Lumière qui en naît
Est halo à mon être

Les pieds rivés au sol
J'écoute monter en moi
Le souffle des eaux lointaines
Sang jailli du ventre de la terre
Pour alimenter la terre

Chaque étoile m'est soif
La lune est douce à mon front
Comme baiser à la nuit
Et voilures les vents du soir se gonflent
Du mystérieux message des grands arbres
Riches de vie et de mort

*

Me grise plus qu'alcool
Qui met à neuf mon sang
Et fixe le rythme de ma joie
Dans le vertige ronronnant d'une toupie de voyou
Ou la ronde fabuleuse des beaux chevaux de bois
Me grise plus qu'alcool
La musique épandue de ce ciel de clarté

Émanation subtile de l'infini
Ou du silence personnel
Jeté à la limite du rêve
La musique m'habilite au souvenir
Et à la chance de créer

Mélodie dans les voiles larguées du vent
Grande mer de péril
Et torses nus
La désespérance des mâts et des ponts
Grande mer de péril
La même dont les négriers déchirèrent les flancs

Bouquet d'oiseaux
Gerbes de trilles
Province des routes enluminées
Où mon amour vibra comme un enfant nu
Pardon à toi qui fis mal au poète
Mais baume à toute douleur
La petite vieille tend ses mains
Ses vieilles mains aux odeurs de fleurs fanées

Sobo me balance comme un fruit
Entre la blanche tendre
Et la noire voluptueuse
Ce "boucan" comme une lune des bois
C'est le phare du port
Le tambour parle langage

Et réitère les frayeurs d'autrefois

Au ras de l'heure
La symphonie vague de l'onde
Dans le calme des plages nocturnes
Que raye la lueur d'un bras
Mieux que croissant d'un peigne
Perdu au gouffre des chevelures
La blondeur cambrée du buste
Est appât à mon désir
Mépris des fictions
S'actualise la remembrance charnelle
De la négresse blottie dans l'herbe

Musique liée à la mort
Au même pas sans pas
L'ombre rattrape l'être
Ô mouvance incohérente et suave
Charme puéril de l'envoûtement ouaté
Le ciel lent chavire à tous les horizons
Musique liée à la mort
Fraîcheur devinée du trou
Douce paix douce paix

Dans l'agonie des sons
Les couleurs sollicitent mon climat
Palette à l'arc-en-ciel
N'ignore le choix des teintes
Et l'ombre et la clarté conspirent au relief
Chevaux bibliques hors des cadres
Dans la chaleur animale des naseaux
Et le souffle transparent des bananiers courbés

Brousailles de lourds cheveux
Seins au vent
Et cuisses en bataille

Emmêlés tous ces corps asexués
Surgis de la puissance des arbres
Prolongement fantastique de l'opulence tropicale

Hanté d'un regard
Je cours aux danses qui m'empoignent
L'image des sens est appel aux sens
Et femme nue éveil de l'instinct vital
Sous-jacente à l'émotivité

Vigueur de soleil dans mes veines

Toute vie m'est chère
Et je nie Phidias
L'écho ou le choc
Non la copie
Au prix du sacrifice

L'écho ou le choc
Sens vibrant de l'humain
Aux correspondances de la matière
Lointaine la Vénus de Milo
Mais le dur bracelet de chaînes
Aux pieds
J'aime l'esclave nègre
Debout dans les siècles
Et sculptée dans l'angoisse
La main vers l'espoir

*

Je sais la merveille des légendes
Orphée harmonieux Orphée
Et je répète une naissance
Complicité unique des pierres et de la lyre
L'élan primitif de l'objet
Mû par le chant
Vers le bleu et vers l'ordre
La cité spontanée se compose
Par le déchirement des terres et des rocs
Dans un grand acte d'accord et d'offrande

Face aux frissons dérisoires
Je suis neuf
Voici (ferveur promise)
Le jet fondamental
Fleur lancée dans l'effroi des nuits
Azur suspendu sur des sanglots
Barque livrée aux songes de l'étoile
Voyage merveilleux à tous les ciels imprévus
Dans le délire des lunes plus parfumés que gorges de femmes

Périlleuse aventure aux mille trous bleus
Où la douceur du pain connu aux nomades
Est le don total aux hères
Délivrance et fusion
Revanche
Vertife vertige
Démarche hardie de l'homme
Pour exprimer l'homme
Poésie

*

Tandis que Narcisse se perd dans le miroir
Des chairs alentour crient souffrance
M'est fraternel Job rongeant comme un os
Le mal qui le ronge comme un ver
Et au delà du silence de tempête
Où s'esquisse la promesse des houles
Dressé dans la menace des hautes clameurs
Aux quatre coins ébranlés du monde

Le feu du tambour brûle le flanc des mornes
Un nombre différent enclôt l'instant
C'est un autre rythme
C'est un nouveau langage
Une grande ombre grouille là
Qui sollicite l'éclair
Et la blessure attend la main qui panse

*

Un homme marqué du signe
Ouvre à deux battants
La porte de l'Occident
La croix procède sous l'épée
L'aventure castillane saccage les terres neuves

Jeunes rires
Dances légères
Areytos des Sambas
Lumière des cuisses de miel sous la magie des lunes
Cadavres engloutis
L'eau vomit le métal
Et dépouilles des rebelles sont la gloire des chiens

L'écume neigeuse des belles caravelles
Est la route des lourds bateaux
Charriant d'un monde à l'autre
Avec l'orgueil des rois aux cales
La honte barbare des chefs civilisés

Rapporté de Guinée
Le bétail est en lots
La prunelle garde l'horreur d'être traqué
Le fouet courbe l'échine d'ébène
Le sol chante sa richesse
Mais c'est un chant de sanglots
Et c'est un chant de peur

Voici l'or du soleil des champs
Où déjà se brisent des chaînes
Et la lueur des candélabres de salon
Sur des courbettes de femmes blanches
Devant ce petit-fils d'Aradas

Un cheval cabré dans l'angoisse des poudres
Léchés par la vie des flammes

Les haillons d'une gueuse
Sont courage de soldat
Et liberté à l'assaut

Sous l'éblouissement des baïonnettes
Rayée l'inhumaine pureté
Prélude d'une heure inédite
Le feu d'un sang gonflé comme un fleuve
Se marie à la couleur des rêves
Cristallisant des forces latentes de bonheur

Parmi l'éclair rapace des lames
Et la magnificience des incendies
L'esclave nègre se dresse
Au coeur de l'univers des hommes
Dans la virilité d'un acte qui rature
Et (vertige inouï de créer)
La grandeur dépouillée d'un dieu

Dans le recul de la nuit
Happé par le ciel
Contre paroi hallucinée
C'est un madras rouge
Le beau madras rouge de l'empereur
Mais l'attente des hères sombre au pont de sang

*

Surgie du sol
Pour défendre le sol
Couronne d'une crète
Et couronne de nation
C'est face à l'azur
Comme face à l'opprobe
C'est la geste du roy

Au seuil d'un siècle dur
Une main tendue
Au dessus des montagnes et des mers
Au dessus des races et des langues
Dans l'amitié du don
Une main tendue
D'un continent dicte la religion

Mon pas foule la terre de l'île
Mon drapeau plein le ciel
Aux quatre vents
De l'Atlantique à la mer des Caraïbes

Puis le défilé des uniformes
Au gré de l'inconscience
Hachée de sursauts
Mais est-ce vivre jusqu'à la défaite
(Mon père couvre-toi la face)
Est-ce vivre jusqu'au spasme de révolte
Et la renaissance du soleil libre
J'aime le doigt qui indique le chemin du large

De la brûlure du désert
Alternance des poèmes et des chants
Les dieux ont grondé l'orage
Au delà de colère
Nostalgie ou reproche
Un sentiment innomé a gonflé la gorge humaine
Et crispé les nègres aux entrailles
Et glacé de peur les hommes blancs
Le vent qui brouille l'espace
Est tempête en mon âme
Mais voici l'espérance
Une voix sans couleur
Chargée de toutes les chaînes brisées
A remué le soir du monde
Et tout être de chair est labouré

Le nouveau prophète tombe
Face contre terre

Et transmet le message
C'est un cri d'aube
Un horizon forgé de joie
Il faut marcher dans l'âme du soleil
La clarté des eaux
Et la paix des labeurs
Le coumbite dira la fraternité retrouvée
et la riche promesse des semences

*

Dans l'intimité mystérieuse de la terre
Un profond labeur compose une cité unique
Si légères et vives qu'aériennes
À travers leurs chevauchées sur l'herbe
Où ces courses effarées au coeur du sol
Les fourmis célèbrent un palais souterrain
Né patiemment de leur foi en l'effort
Ce château aux mille baies
Qui nourrit de douceur
Est la république d'un travail mirifique
Conçu par le vol précieux des abeilles
La joie d'aimer est dans ces becs roses
Qui lient un couple de pigeons
Je connais l'intelligence des chiens
Et cette amitié au-delà de mourir
La beauté antique des chats
(Souplesse guerrière ou voluptueuse nonchalance)
Dans le silence ou le soliloque
Complice des vieux savants
Et la bonté tragique des animaux fragiles
Le cygne de pureté que glisse l'eau
Vers la ferveur des fleurs lacustres
Penchées sur leurs images
Et le versicolore perroquet sur une branche
Comme dans une balançoire
Sont la grâce et l'éloquence
Si le temps jadis
Vit le bond farouche et familier
Des grands carnassiers
Sur des faiblesses terrifiées
C'était loi de manger
Et la race de cruauté est quasi morte
Mais héritage de ses pères
L'homme n'a pas désappris la jungle

Les gratte-ciel gorgés de l'or du monde
Sont les nouvelles Babels
Où seul est ignoré
Le langage des parias et des nègres
Les immenses champs de blé
Sont une richesse plus blonde
Que le soleil des cieux
Et misère tenaille des peuples au ventre
Le Yang-Tsé te dérobe nourriture de cadavres
Et te voilà voué sans rémission à deux lèpres
La douceur du café si chaude à la gorge
Se confond au sable des mers
Ou s'exhale en cruelle fumée de différence
Tandis que mon pays dresse à nu
La désespérance des montagnes chauves
Et la maigreur hallucinante des poitrines noires
Creuses de pain et d'espoir
Ce flot lent
(Théorie des faims quiètes)
N'est pas menace de houles
Dans la paix délétère des consciences
Les engagés à mort fructifient de leurs membres projetés
Le luxe insatisfait des magnats
Je connais la splendeur des contrées fabuleuses
Et le dépouillement des peuplades asservies
De glabres visages le flegmatique rictus
Est un trésor de cynisme et d'astuce
Vidés sentiments et mots
Se cultive l'affreux climat des leurres

Entre le silence des cris
Et les cris du silence
Traqué aux trois murs des geôles
Et le grillage de cirque où s'effiloche
L'ombre irréelle des gardes nazis
Dans l'incohérence des instincts sourds

Je suis le jouet des tortures
Nées du délire des nouveaux barbares
Marqué en Afrique de la trique des colons
Opprimé dans Madrid
Sous les vestiges des cathédrales englouties
Qui surent la beauté des chants
Et le rythme des civilisations
Terrassé dans mes repaires abyssins
Au grand soleil d'Europe
(Parmi les pétarades des bombes
Et le vol extravagant des avions)
Sous le glaive d'ombre d'un guerrier sournois et lointain
Qui ignore la gloire des corps à corps
Pour le vertige des fuites éperdues
Je succombe à ma couleur et à ma classe
Et jusque dans mon Amérique
Ténébreux héritier des grands rois déchus
Réduit à l'office
Et dans ce salon où claquent des bottes
Ma chance m'est volée
Au prix du sang
Je veux mon ciel haché d'éclairs
Rayant le chaos des âmes
Et préludant à la haute lumière
Qui recule l'ombre épouvantée

Dans la sécurité des nuits trop claires
(Où la lutte stabilisée se libère d'alarmes)
Et le lourd repos des gars
Je suis livré à moi

Quand l'amitié nous tient
Inaptes au reniement
Le sort qui décroise nos routes
Nous pousse à la tombe
Et davantage l'un vers l'autre

Tout lien ne se dissout
Mais se fortifie

Si attaché aux miens
Et au sol du pays
D'où Dieu prit le limon de ma chair
Que je me bats pour l'idée
Autant que pour ceux-là
Et le morceau de terre
Que j'ai pris dans ma main

Et toi retrouvée
Au seuil de mon inconnu
Dans tout instant
Ou passé ou devenir
Inaccessible et fidèle

Me reprend le vertige fantastique des combats
Et la densité des soirs d'ombre
Chargé d'angoisse
Crispé à l'appel du guet
Tassé en nous
Prisonnier des sens et des choses
Lame froide des inquiétudes comme un serpent
Mais l'ivresse des risques bouscule la peur

Une silhouette hésite sur le ciel
Si enfantine et menue
Si peu méchante
Que ce fusil a l'innocence d'un jouet
Un être tombe près de moi
À jamais lié à mes fibres secrètes
Par la frénésie du danger
Et la lueur soudaine de la mort
Ma mitraille fauche le fantôme de Wagner
Chaque pas martèle Dieu

Et je meurs sur tous les fronts
Gerbes d'explosions
Parmi les fracas des bombes
Et la lumière hachée des canons
Danse fébrile des vagues sous l'ample croupe des navires
Hauts comme des tours
Féérie légendaire des batailles
Monstres innomés prédits par les prophètes
Géantes tortues dans la nudité des campagnes
Où poussera le blanc reproche des croix de bois
Plongeon vertigineux des oiseaux sonores
Musique syncopée des balles
Étincelles qui claquent
Étincelles qui sifflent
Et trouent l'heure muette et haletante
Choc mat des corps
Dans le tumulte sanglant des poitrails
La chair connaît l'horreur profonde de mourir
Sous la joie exaspérée des fers

Gare à la paix d'orage
Sur le ciel projetée
C'est la carcasse de douleur
Voici la belle annonce
La belle annonce d'un bel âge
Je ne vois ni la grande Allemagne
Ni la grande Angleterre
Mais les petites et grandes cités prospères
Fraternité totale abolit différence
Au delà des corps dérisoires
Complicité pathétique des masses
L'individu est fruit de tribu
Et sa vie ou sa mort puissance de sève commune
J'ai payé le tribut
Et ne rêve pas du sang des hommes

Je porte l'harmonie des peuples
La dignité des labeurs
Et la chance des gueux
Ma race ne m'est chaîne
Et si je sais ma couleur
Ce n'est mépris ni honte
Tendresse quiète des foyers dans les patries libres
Égalité des moyens sous la munificence du même soleil
Toutes les églises et toutes les chapelles
Rendues dans l'encens des prières
Aux mille flammes légères des cierges
À ces cantiques si purs que c'est l'envol de l'âme
Et au dépouillement des vanités et des rigueurs
Pour la soif de vérité et la vérité de l'amour
Un souffle fécond comble l'attente des coeurs
Et l'espoir des mains calleuses
Comme un fleuve nourrit le sol de ses rives

Grâce et vigueur des bustes balancés
Le choeur innombrable des bras
Comme des corbeilles en l'air
Entends ce bonheur lumineux des jeunesses
La marche hardie et droite des adolescents
Où se précise la force des jets virils
Et la suavité suprême des fillettes
Ailées et robustes
L'orgueil d'une race crispé à tes muscles
Tu rééditeras le saut de l'athlète nègre
Et dans la clarté des foules
Ta main noire portera au but
Le beau flambeau des courses
Lueur jaillie du fond des siècles
Comme une aube de temps inédits

Je demande la collaboration des blouses blanches
Et ce n'est pas pour tuer mon frère
La lumière des laboratoires

(Où se recompose l'homme partiel
Tendu à l'unification)
Connaît le rythme interdit des métaux
La ronde multiple et immobile des atomes
Le mystère émouvant des petites bêtes sacrifiées
Et l'intense richesse de chaque vie

Je ne surbonne l'esprit
Dans Athènes renouvelée
Le doigt du sage indique la route
Bannie la crainte
Et bannie l'Heure des stupeurs
Le mot d'Apollon est sortilège
Non pour quelque mirage
Mais l'oasis qui attend le pas de la fatigue

Purs de silence jusqu'à transparence
Nous sommes mûrs pour le don de Dieu
Et la grande vague de musique
Où flotte le message infini de l'azur
Baignée de l'espérance des âmes
Et de la douceur du monde
De toute la douceur qui dépasse l'être et le monde
La grande vague de musique
Caresse d'un souffle de paix les terres reposées
Et voilà le coeur las des hommes
Pénétré
Inondé d'un bonheur insinuant et calme et large
Où germe la promesse informulée des nouveaux élans
L'arbre tombé dans la tempête
Ne sera pas que pourriture
Je dis qu'une pensée ne meurt
Mais prépare le climat des fruits
Dans l'hymne immense des fondaisons en fleurs

30 mai 1945

Une femme porte demain

À René Belance
dont la poésie m'a "donné à voir"
en toute amitié et protestation[1]

Dénoué le feu de la toison sans défense
Je livre la clarté d'une tunique au vent
Un rayon de lune
Est un petit chien qui veille
Et chaque écume promesse de déesse neigeuse
Quand tu lances ta jambe comme une menace
Quand tu projettes l'aventure de ta poitrine
Quand l'éclair de tes yeux fixe la peur
Qui rôde bête traquée autour de ton soleil
Je suis le propre vertige d'un arbre
Dont la foudre a créé l'absence
L'ambre de tes genoux
Qui te frayent le chemin des joies
Use le regard effaré de l'enfant
A son démon donné
Tandis que ton pied extravague
Fille nue
Somnanbule
Au ras d'un toit
Je veux que ta croupe soit insulte à la nuit
Libère ta danse sur la danse des vagues
Si ton pas fléchit
Cambre toi à ton ombre
Et sache que la mer n'est pas mouvante
Pour moi
Si le rythme d'une main se meurt
Aile blessée
J'attends le bond d'un sein

1 – En réponse au poème *Demain mes seins couleront*

Qui crève la face béate du ciel
Et inverse la calotte de merveilles
Jetant Paul crispé
De l'autre côté du miroir
(Jacob terrassant l'ange
Et l'échelle coupée)

*

Je hausse un enfant qui demande des comptes
Il est un faix lourd à porter
Et un mage confie qu'il ne répond d'une naissance
Je sais des fruits avortés
Et tout le long cortège de déchéances
Les chaînes ont hurlé d'encercler les pieds nus
J'ai lancé des torches vertigineuses dans les champs
Il faut craindre ces doigts qui caressent
Un ciel a brûlé d'une sève peu commune
Et quand ton souffle ensable les puits
C'est qu'il y a des gens qui ont trop bu
Et trop de gens qui n'ont pas bu
Peu importe que mon frère meure
S'il y a des chances de décapiter le roi
J'accorde l'agonie d'un garçonnet
D'où mon couteau jaillira comme un sexe de son gant

Mais la ballerine à la barre garde le secret du fleuve
Apparition au balcon des dunes
Qui suspend mon regard sabre au clair
Je n'implore pas un pardon qui m'est dû
J'irai jusqu'au bout d'une plainte
Que ne put réprimer une robe blanche
Ni le fragile espoir de franchir le ciel des autres
Ma dame demande sa place dans le château qui se voit
Et il me faut des colliers pour l'éclat d'une tour
Tu crieras mille fois non
Cramponné aux fers qui protègent ta demeure
Je viendrai debout
Glaive en main
Et à mon bras une femme sans pitié
Je dis
Il est temps de déloger
On se tourne vers un ange immobile
Et qui fait peur
Il est temps de déloger

Voici mon vol transcendant
Pour la conquête d'une mue cosmique
L'aire des faîtes n'est pas hâchée de pendus
La révolte a hissé un vent
Où claque le seul drapeau d'amour
L'aube emporte une cîme de luttes
Qui barrait la terre promise
Ton pied a buté l'angoisse séculaire
Et la fièvre de mon bras ceinture ta taille d'une chaîne unique
Si ta course éclate la course des eaux
Il y a des rivières que nous traverserons à la nage
Il y aura des ponts brisés
(Ce vide sera comblé d'un pas)
Il y aura quelque moulin
Dont la dent demandera une chair à broyer
Il y aura l'incohérence d'un lynchage pour l'absence de 3 lettres
Mais il y aura aussi des citadelles à cul en l'air
Et ce champ où l'herbe fleurit pour la faim
La mer te dresse plus haut que notre vue
Je crois à l'estafette qui porte le signe du vautour
Sur une voie d'ailes blanches pour l'aurore
Le poète dit
"Demain mes seins couleront"
Il y aura peut-être une dernière plaine
Où un dernier homme fou abattra sans merci
Les vestiges d'un passage insolite
Le veau d'or volera en copeaux que le soleil mangera
Un éclair inviolé fend l'entrée interdite
Avoue
Je ne suis pas le vain effort de Moïse
Ni toi la fallacieuse promesse

18 novembre 1945

Sur un toit de vent

Que t'est le bouclier de tes seins
Quand ma flèche t'abat comme un vautour
L'haleine des grands bois dépouille le dieu neuf
Et me voici nomade
Libre des défroques empruntées
Chargé du legs sans partage
J'arrive primitif du fond de moi-même
Que dis-tu du beau nu dans l'arène
La mer n'englobe cet élan
Près de l'arbre mûr pour l'abandon
Si ta main indique la seule étoile
Je bois la coupe du ciel
Dans la défaillance de ta chair
Ivre comme une voile en partance
N'attends le mot qui brise
Je rejette l'éloquence des feuilles en l'air
Crains la richesse du sphinx
Qui bondit
Hirsute
Dans l'or décadent des âges
Le vent des clartés lointaines
M'embarque pour le vertige sans issue
La barque vogue sur la danse des joies
D'une lune qui luit tes cuisses écartées

N'objecte la préséance de nul carquois
Sur le bord des vagues rebelles
Je dis que le fruit tombera
Dans le creux d'ombre de tes mains d'attente
Si fragiles qu'elles sont rire de gosse blessée
Pourquoi l'armoirie au front des nuits
Quand bourrasque le rythme de l'éphémère
L'écueil de ma vie
C'est la flamme de ta hanche

Qui s'enhardit aux horizons
L'aube pâlit la grâce des jeunes dents
Reconnais le pouvoir de chaque fenêtre
Rayant le désert d'une âme qui s'affronte
Le lambi somnanbule sur la table
Crie l'alleluia d'une gueule sans gêne
Qui heurte la pamoison des corps
Je vois des lendemains qui flambent
De tous les jets d'eau du monde
Fantasques comme des miroirs
Et je t'entends partir aux cascades des faunesses
Parmi ces champs dressés comme le glaive de ton sexe

*

La belle au bois dormant

J'ose un hymne à la madone-vendeuse d'amours
Qui sollicite un sursaut à la besogne quotidienne
Le chapeau sale attend une main qui le délivre
Une main sans crainte qui l'arrache au panneau
Et le fiche sur la tête de la reine d'Angleterre
Quoi je risque de changer ta demeure
En un palais que jamais ne vit
L'oeil atone du moine à l'ombre des roseries
Un revolver sous la table n'implique pas l'attentat à ta chance de
                                    transgresser le jeu immémorial
La calebasse qu'apporte la maîtresse des eaux
Où l'âme du mystère nie la venue des hommes blancs
Criera la danse de mille abois
Qu'une nappe ne recouvre dans l'or des chants
D'une lampe qui suggère une réponse à l'adieu
Je suis sans peur de nulle atteinte
Du seau qui recule
Pour condamner le mot
Au geste que dément ton oeil dément
Si ton rire dévie de la lanterne du ciel
Quel repos apporterai-je à ta lèvre tendue
C'est une fleur faite des éclairs de la nuit
C'est un globe hanté de la magie du sommeil
Deux femmes attelées au char de servitude
Gonflent des voiles jetées dans l'ouragan
Et le prince ténébreux tournoie éperdument

*

Casse-cou

La savane dévastée consent à l'éclosion d'un oeil
Lucioles des nuits tropicales
Escarbille au front du cyclope invisible
Qui vient au devant du Mage
Lueur fugace de mon désir

Je ne tenterai pas lâchement l'évasion
C'est au coeur des montagnes qu'il faut aller
Côte à côte avec le viel arbre qui renaît
De chaque traînée d'étoile filante
De chaque fusée d'eau retombée
De la magie de mon regard
De la fraternité émerveillée des aubes

Là-bas m'attend le sorcier qui détient la clé
Les rythmes interdits ont accès à mes sens
Les trépidations des pieds nus sur le sol
Et les spasmes de ce corps traqué par un mystère
Et le vertige impossible des hanches d'Adé
Et le tumulte du tambour dans mon sang
Jettent l'appel à ta puissance inviolée

La négresse révèle un fruit unique
Dans la surprise marine d'une huître éblouie
Ma pirogue navigue en plein arc-en-ciel
Sous le souffle d'une bouche de dieu noir

Bustes en flammes
(ah l'épouvante des Césars déplumés)
Les éphèbes ont franchi le cercle de fer
Tout crépuscule porte une aurore
Il suffit de connaître le passage de la nuit

Voici que le vieil ours rechange de peau

Ce n'est pas ici le ciel de l'aigle
(dit-il)
Les repaires rendent leurs loups à l'ombre
Le festin recommence où l'agneau est tondu

Qui parle d'éteindre les torches
Il faut dans l'arène les coutelas au bout des bras
Et la ronde frappée d'éclairs des machettes haut levées
Ne crois pas que ton doigt interrompe la marche du monde

Une faux coupe le fil au ras de la naissance
Le petit être qui fut le collier de ton cou
Le rire de ton matin la clarté de ta chair
Se confond dans la profonde douceur des terres
Mais déjà deux bras menus battent l'air à ta venue

Déjà un nouveau sourire te réclame
Et incline le mât du navire vers l'espoir
Je te vois émerger plus belle de la bourrasque
Quand un noeud se défait c'est pour qu'un autre se fasse

Tant d'éclairs me donnent la dérive
Que voici l'horizon en couleurs
Un couple s'avance sous l'orée des grands bois
Dans la complicité des prochaines épousailles
Un adolescent tend la main vers la lune
Un chant s'élève contre mon épaule
Le songe coupe le silence des routes
Et me rend l'amitié des visages dénuagés

Sous les mille éclats d'un soleil de nuit brisé
Dans la féérie que verse l'amphore magique
Dont seul se dessine le manche en arc de lune
Chaque miroir renvoie l'image inattendue
(Tant attendue)

Au bord d'un flot frangé de coquillages

Eclatant le globe de verre
Dans la nudité foudroyante du feu
C'est la sirène-fée de l'autre côté de l'eau
Où les paquebots nomades sont châteaux de légende
Contre la tourmente éclaboussée des vagues
Un jeune nègre traîne ta barque du bout de ses dents blanches

      Ailes déployées
      Je me lance
      (ah les yeux fermés)
      Je me lance à corps perdu
      Dans le grand trou d'air
          Sans air

31 mars 1946

*

Le temps du péril

J'ai besoin d'une femme de belle terre maudite
J'y allume mon feu et il n'est plus de différence entre
    un volcan et un ventre qui brûle
Les sept lumières de la ville sont les charbons incandescents
    de son corps à découvrir
(J'ai vu le buisson ardent)
Agoué sortant de l'eau dit que la vague se fende
Et mon boumba plus que lui d'ébène y piquerait une tête
en flèche faisant luire soudain une queue de sirène
Mais les hounsis en fumées ondoyantes me guident par mille
voies interdites à la case des mystères

Je ne demande que d'aimer

Cérémonieux à l'égal de Magloire Saint-Aude ou
    de Baron Samedi
L'oracle à mes mains qui tremblent présente
Chair à dévorer qui dévore
Chair à nourrir qui nourrit
Et quand le mince glaive foudroyant de l'éclair traverse
    la bosse géante des ténèbres
Je rencontre enfin ton visage calme comme mon arrêt de mort

*

Clair d'orage

Je viens dans l'arène porter le poids de mon sourire
Je viens ramener tous les drapeaux qui insultent à la beauté
des arbres
Je viens tordre le cou à tous les verres à pied renversés
Je viens chasser la nuit de tes yeux
Avec la vague de mes bras pour te bercer
Avec le cercle de mon regard qui projette ton ombre de chatte
sur le mur
Avec ma poitrine ouverte sur un chant qui précède ta course
Avec le jeu libre de mes jambes sur un obstacle ganté d'oripeaux
Avec l'éclair de mon couteau dans la tête clouée de la couleuvre
Je viens interposer l'écran d'une épaule entre ce sabre et le
bras du flambeau
Je ne viens tourner en rond dans la clarté des morts qui
tournent en rond
Ce n'est pas mascarade à se tenir les côtes
La peur gicle des yeux de crapaud d'une gosse adulée
La peur ceinture les reins de la cruelle femelle dont la fleur
se tord dans un pardon que refusent ces doigts noirs
la peur te guette dans une cuiller à thé

Mon tambour danse dans le vent vert des cannes qui s'enfle
d'un départ
Mon tambour danse dans le langage-mystère du mapou strié
des notes de flûte-morse du serpent-loa
Mon tambour danse dans les outres gonflées des fesses des
négresses
Et dans la grande voix tumultueuse des grands eaux orchestrant le
tumulte des voix rebelles des esprits de l'eau
Mon tambour danse sur ton poitrail lustré de centaure
Et dans la nuit d'orage que lèche la haute langue des flammes
Et dans ce sentier sous-bois où deux seins laiteux s'enchaînent à
jamais à l'ébène

Et dans ces mornes d'où un peuple d'arbres part à l'assaut
des guildives
Et jusque dans ces rues où demain sera maîtresse ta silhouette
vagabonde
Mon tambour danse sur le dos nébuleux des moutons
Mon tambour fou crève ce toit dérisoire
Et par la baie d'une lueur d'où jaillie
Le génie des feux provisoires lance son vêvê en plein ciel de
révolte

*

Par un double couvercle qui éclate en étoiles
L'arche des eaux à deux battants s'ouvre
Sur l'escalier de cristal que je descends la tête la première
Au fond du puits mon image m'appelle
Et vibre de haut en bas de mes moindres frissons
Le mot de passe m'amène au nègre enchaîné
C'est moi qui te délivre et t'indique le chemin du retour
C'est moi qui viens changer le cours de ton destin
Ou toi qui viens changer le cours de mon destin
Esclave mort debout un pied sur le trésor
Je dis la parole qui élargit ta prunelle
Je fais le geste qui fend en deux les eaux
La route est belle jusqu'à la terre natale
Ton bras qui ne sait rien du secret de l'atome
Garde le secret de briser les carcans
Tu me révèles à la chance de nier cette angoise
Chaque coin du sol que ton pas foule renaît au bonheur
Mais toi si je m'égare prends ma main dans ta main
J'apprends tout de toi et tout de ton regard et tout de ta voix

Un fantôme me hante et c'est une nuque envolée
Un silence me guette et c'est l'arc d'un sourire
Une étoile me perce et ce sont les yeux de la bien-aimée

Un mystère me happe et c'est ta queue de sirène
Le sommeil a créé le sortilège de ta hanche
Et suscité (la tête casquée d'ombre dans l'anse de ton bras)
Le bondissement suspendu de ton sein
Te voilà moulée une jambe soucieuse de rester belle
Une bouche où si ta dent paraît je m'affole
Tout un corps qui s'annonce comme un tumulte
                    de lunes fantasques

Un vent de haute mer
Le désarroi de mon regard
L'élan halluciné d'un arbre dans le ciel
Le chant de ta propre gorge
Le vertige même de ma vie
Je me risque à saisir cette forme qui naît
Et de toi et de moi
Je cours sus au danger de ta chair qui se réalise
L'ivresse tremble aux portes du palais
Où l'éclair follement tranche les amarres
Les miroirs d'horreurs sont d'un coup inversés
Des villes d'acier aux cryptes d'obélisques
La patte pelue secoue les dernières cendres
Mais j'ai pour toi des yeux des mains des lèvres qui sont amour
Des yeux qui n'ont d'yeux que pour toi
Et où je n'ai pas désespéré que tu voies la fenêtre qui brille
Le grand château de verre lancé à toutes voiles
L'oiseau des airs libres aux feuilles d'azur de neige d'écume
Le sphinx qui se fait arche dans la vague des nuits
Et mille lueurs de torches qui clament ta venue
Je porte le vertige
Jusque dans la tourmente de ta chevelure
Jusque dans la transe de tes cuisses
Jusque dans l'envol douloureux de ton col
Jusque dans les ondes de tes frissons secrets
J'ai des lèvres qui ne savent plus qu'un mot
Un mot dont le collier noue ta bouche à ma bouche
Un mot qui part comme une flèche en ta poitrine
Un mot qui chasse la peur et te donne le droit d'égrener ton rire
      dans la source
Un mot qui est trois fois ton nom et que j'insuffle à la première
      sève du jour

*

Propos de sourcier
(Inédit)

Avant-propos

Ce texte, dont un fragment a paru dans la revue française *Pleine Marge* (No. 18, 1993), fait suite à l'expulsion d'Haïti d'André Breton, de Wifredo Lam, de Pierre Mabille et de leurs épouses en 1946 – époque où, aux yeux de la police, il n'y avait aucune différence entre surréalistes et communistes.

Breton n'a pas fini de me hanter.

"La libération sociale de l'homme est la condition *sine qua non* de la libération de l'esprit", proclame-t-il.

Le marxisme est une grille de lecture et un instrument de transformation de la réalité.

Le surréalisme vise à créer un "nouvel entendement humain". Dans le combat pour la liberté, il interdit à la doctrine de se figer en dogme. Dialectique est souveraine.

La poésie se refuse à dissocier rêve et révolution – alliage explosif où l'amour, pour toujours, prend ton visage.

"Dans les champs ravagés du présent", ces pages font rejaillir les eaux vives de ma jeunesse. Je les publie aujourd'hui pour célébrer à la fois le centenaire de la naissance de Breton et le cinquantenaire de la rencontre du mage et de "l'île prodigieuse".

New York, le 1er janvier 1996.

*Pourtant cette arche demeure, que ne puis-je
la faire voir à tous, elle est chargée de toute
la fragilité mais aussi de toute la magnificence
du don humain. Enchassée dans son merveilleux
iceberg de pierre de lune, elle est mûe par
trois hélices de verre qui sont l'amour, mais
tel qu'entre deux êtres il s'élève à l'invulnérable,
l'art mais seulement l'art porté à ses plus hautes
instances et la lutte à outrance pour la liberté.*

André Breton (*Arcane* 17)

Propos de sourcier

Sous un ciel qui répudie tout envol de fusée et semble limiter l'aventure d'une pensée, c'est peut-être afficher une prétention à la révolte que d'ouvrir à deux battants la porte au chevalier errant inéluctablement en quête de la sirène. Que ceux qui me croient vain de ne pas désarmer me donnent la place libre. S'ils se rétractent de fuir, je les condamne aux sabots de Pégase. La déportation du sourcier n'interdit pas une chance de rives clémentes. Mais il faut faire le point. Je doute que les parallèles se rencontrent à l'infini. Une voix s'insurge contre l'affirmation absolue de cette discontinuité. Sur le plan du réel, le brusque passage d'une force statique à un dynamisme fécond est assez problématique.

Les éphèbes ont brisé la chaîne des galères. Il ne s'agit plus d'établir un équilibre instable, propice aux manoeuvres camouflées des saboteurs. Je dis qu'il importe que se fasse d'urgence le bouleversement des idées dans le camp des nouveaux timoniers. C'est à ce prix que ne sera pas compromise l'issue du périlleux voyage entrepris "sous le signe du vautour".

*

Dans mon palais, il n'y a pas de place pour les satyres aux pieds cornus. Les élues sont les fées des bois et la nymphe dont les eaux, dans la surprise de l'aube, renvoient l'image émerveillée. Le regard d'Athéna hante encore la salle momifiée des souvenirs. Mais le grand vestibule est en perpétuel devenir. Sitôt qu'une ombre se précise diaphane ou qu'une forme s'achève, une autre s'annonce dans le flou d'une naissance adorable et avant toute éclosion d'attente. Foin des redingotes et de tout attirail fossilisé. La nudité est de rigueur. Vos "hauts-de-forme" et capelines sont jetés à la mer où ils deviennent transparence de coraux ou coffres-en-peu-de-chat-noir près de quoi s'élève la silhouette tutélaire de l'esclave africain.

La sirène est maîtresse du temps. Il n'est que d'attendre la venue du mage. J'augure la fête de ton réveil parmi l'éclat des jets d'eau, le frisson des asphodèles dans la coupe renversée du soir et le grands feux que projette l'ange déchu dont nous sommes solidaires.

*

La gloire de satan offusque l'impuisance d'un dieu. Si tu conçois l'inutilité de la prière, saisis ta seule chance de négation. Les flambeaux du ciel que portent d'invisibles lutins n'admettent nulle peur et sollicitent tout élan. Je me lance, ferveur irréfléchie, dans l'arène des mystères. La forte tête du taureau domine l'incohérence des gueules ouvertes sur un cri que l'horreur a figé. Le chant rebelle a condamné le temps de barbarie et proclamé le droit à la vie.

La source perce la terre de mille dards d'argent. D'un coup, mon glaive abattra la pieuvre, sous l'oeil d'Osiris recréé par le miracle d'amour.

*

Pour Wifredo Lam

Un trouble étrange me paralyse et toute ma vie se tapit dans mes yeux, frémissement "fixe" d'une biche qui s'égare sous le regard d'un fauve. Le langage est banni, si ce n'est l'appel énigmatique du poète préludant au vertige de couleurs.

Une sensibilité que maîtrise l'intellect soudain bousculé

par un instinct faunesque. Ici, l'égalité parfaite des éléments dans une forme à deux dimensions: négation de hiérarchies taboues. Là, des tons savamment canalisés dans la pureté des lignes et des touches en marge de toute attente participent du domaine des volumes. En route, une main, brandissant un poignard, croise une fleur fraternelle qui s'ouvre dans le choc d'une beauté mystérieuse. Le poisson ailé, sans queue de poisson, grimace le sourire d'un masque hindou. Me voilà livré irrémédiablement à la fatalité d'un oeil partout répété.

Un art où le merveilleux entre de plain-pied dans la vie des êtres et des choses. Un art fantasque au possible, où s'affrontent et se réconcilient la pensée de l'Occident et la magie de l'Asie, dans le grand souffle de révolte de la brousse africaine que traverse un éclair irréel, jailli du paradis des Peaux-Rouges.

*

Cendrillon a perdu dans l'azur son sabot en mûe de sandale-fée.

Voici que se crée le sortilège de ta présence.

Tu dis: La neige sous la lune est la merveille des nuits.

Mais aussi sûrement que ton souvenir s'ébroue, je sais que mon climat t'apprivoise.

Tu es venue de la fenêtre jetée sur la clairière. Tes pas ont glissé sur les dômes de clarté et, nouvelle sylphe des soirs légendaires d'Haïti, tu descends l'échelle miraculeuse tendue de toi à moi.

Chaque gorge profonde mobilise un fleuve d'ombres. Le grand mapou garde sa couleuvre endormie dans la ronde à tire-d'aile silencieuse des esprits bienfaisants.

Le tambour vibre les branches et nous rend si proche le ventre gonflé des mornes dressés en remparts des mystères.

La douce incantation de l'eau s'insinue dans ton rêve où s'ébat déjà la belle sym'bi inhumaine dont la magie fixe le séjour des poètes dans la cité fabuleuse bâtie au fond de nos rivières.

Dépouille toute préséance, à l'écoute d'une voix unique.

Les dieux des sources et des plaines, des montagnes et des mers, les dieux puissants de l'air et du feu (les mêmes qui habitèrent la Guinée de nos pères et parcoururent et l'Égypte et la Grèce, et l'Empire du Soleil Levant et la terre des Aztèques), tous les dieux qui hantent notre vertigineux domaine attendent l'offrande de ton sein dans la coupe de ma main.

*

Au moment où l'inconnu me lançait un message (état de demi-conscience; état d'instabilité et de disponibilité qui balance dangereusement entre "chien et loup"; état qui n'a plus l'ivresse de la nuit et pas encore la lucidité du jour; état précieusement inquiétant où se suspend un frêle pont entre la pensée et le songe: frontière du mystère et de la connaissance), au moment où l'inconnu me lançait un message – panique des profondeurs, violence excessive de mon secret désir ou attrait du vide? – je franchis brusquement l'extrême bord des nuages et sombrai dans le réveil.

Malgré mon dépit et ma presque révolte, je "gage", moi aussi, de la fatalité d'un nouveau contact.

*

Dans le rectangle de la fenêtre d'aube, face à l'homme

couché, une énorme tête de chat – axe vertical du crâne perpendiculaire à celui du tronc supposé de l'arbre merveilleux – dont les yeux et le nez sont crevasses où affleure l'eau bleu-pâle de l'air, une énorme tête de chat noir hante le feuillage magique. Une partie du corps de l'animal, en se précisant, repose sur les pattes de devant chaussées l'une d'un sabot, l'autre d'un chapeau à la Pancho Villa. Un langage curieux s'établit entre le nouveau sphinx et le dormeur éveillé qui, peu à peu, devine de quel lieu d'enchantement a jailli, pour se figer là, l'hôte énigmatique qui lui sourit. Il est bientôt question d'un nègre marron traqué par des chiens. Une vieille histoire. Dernière édition: des hommes de couleur claire, brune, sombre (sont-ce des hommes?) secondés de robes noires et de képis kakis, lancent à toute volée des pierres plates, jaunes comme l'or et comme la trahison. Le tambour gronde. Un rire éclate dans la nuit. Et un grand "boucan" rougit le flanc nu de la montagne.

Où que je me tourne, que ta tête s'applatisse ou que la clarté te traverse pour m'atteindre, je te retrouve fidèle. Regagne ton domaine. Le soleil découvre une branche qui me cache à demi ton visage. Je ne dis pas que c'est leurre. Ou tu douterais de ma réalité.

Tendresse inquiète de l'heure qui chavire d'une agonie à une naissance, le mystère de la prochaine aube recréera ces deux complices.

*

Je nie cette ardeur ressouvenue, cette flamme qui jaillit des marais (ce n'est pas le feu sacré) je nie la tête plate de la couleuvre que tu crois frappée à mort et qui revient "boire du lait", puissante et perfide.

Si un doute me restait, le sillage des Trois Mages l'a emporté. Chargé des plumes du paon (est-ce un manteau d'évêque?), un triste oiseau mène la danse. Il s'appelle Tricéphale.

En vérité, notre naïveté nous sauvera du bonheur. J'ai vu les gosses – jeunes dieux ou diablotins – les mêmes qu'amenèrent les flots tumultueux et qui portaient flambeaux – oublieux de la chanson sifflante, sifflante, scandée du rythme des matraques, – je les ai vus, beaux jusqu'à dépouillement, ouvrir grands les bras aux révoltés de l'heure ultime. Et j'ai applaudi. C'était un temps de confusion.

Mais ce leurre a crevé comme bulle d'air.

Pourquoi crains-tu la voix nue?

Dans tous les coins d'ombre, à chaque carrefour de traîtrise, luit l'éclair des baïonnettes.

Le chien de garde des vieilles traditions bourgeoises montre ses dents.

*

Alerte. Une voix me souffle: *Il faut vivre dangereusement.*

J'ouvre les yeux.

Le visage fraternel du chat noir m'attendait.

*

La perte de toi me jeta dans un cercle d'ailes noires.

L'art fut mon réconfort et me sauva du naufrage.

Je me délivrai d'Athéna par la création d'Athéna.

Je devins passionnément amoureux de ma créature, jusqu'à l'oubli de la femme-matière-de-l'idole. Puis, peu à peu, dans le choc des luttes quotidiennes et le silence de mon coeur, je pris conscience de la magie de mes songes, de l'irréel de mon amour. Alors, un immense espoir m'a soulevé de transposer dans la vie la merveilleuse fiction.

Et me voici debout, adolescent tenace, dans l'aube qui tremble dans mes yeux, les bras ouverts pour l'accueil à l'ange.

*

à Yolande

Il me coûte que ta réalité soit souvenir.

Il me coûte de ne jamais connaître ton visage d'adolescent.

Je souffre moins de ta mort que de la douleur causée par ta mort. Cette douleur au-delà des mots, au-delà des gestes, au-delà même de ma pensée, qui égare une mère.

Je suis confondu de la stupidité tragique du choix et de la nécessité de l'acte.

Ce qui me déroute encore, c'est cet inattendu absolu...

J'ai guetté, après coup, la moindre alerte, le signe le plus fugace qui eût déclenché en moi le ressort de quelque secret pressentiment: me fut cruellement interdite la plus légère complicité de l'inconnu.

C'est une sorte de désarroi. J'ai vu une femme dans les

âffres de l'enfantement, perdue dans la blancheur des draps d'où seule émerge la chevelure. Et les bonds de ce corps grêle qui, pour porter fruit, balance entre vie et mort. Et ce sourire qui me fait mal. C'était ma soeur.

Il est des moments où le demi-cercle du ciel pivote de 180 degrés.

Il importe pourtant que ne soient pas coupées les dernières attaches.

Ce n'est pas moi qui prêche l'oubli. L'amour demeure.

Le même soleil se lève. J'entends le fleuve rouler jusqu'à la mer les mêmes eaux.

La vie reprend ses droits.

*

pour André Breton

Certes, j'avais déjà soupçon de cette incohérence. Il m'était vaguement et peu à peu apparu qu'il ne suffisait pas, au temps où la terre était à tous les hommes, qu'un homme survînt et déclarât: "Ceci m'appartient" pour que, ipso facto, s'établissent la légitimité des droits du plus fort et, par la suite, celles du droit de certains hommes d'exploiter d'autres hommes, du droit de certains peuples d'asservir d'autres peuples, et la légitimité du droit d'héritage, et la légitimité des royaumes, des colonies, des empires et du sang royal, et la légitimité de la puissance extravagante de l'argent, et toutes les légitimités de tous les droits de dépecer l'homme et la terre.

Je comprenais de moins en moins la sujétion dans laquelle était tenue la femme et la tyrannie exercée sur l'enfant.

Il me semblait que l'amour instinctif, et au plus haut point respectable, du sol où l'on est né avait dévié de la source pure du sentiment pour être mis, de façon de plus en plus abjecte, au service d'intérêts absolument étrangers.

C'est alors que se fit en moi la plus grande révolution de tous les temps puisqu'il ne s'agit "de rien moins que d'un nouvel entendement humain".

C'est alors que, sous un éclair qui me donna définitivement la dérive nécessaire, je reçus l'esprit de vérité.

Je conçus le sens de la négation et mes yeux virent l'espoir qui rougeoie l'horizon.

Je connus le mépris de l'argent et que seule importe la communauté des biens.

Je sus qu'il faut rester le plus près possible des sources vives de l'automatisme individuel ou collectif;
que la cause des exploités du monde est la cause même de l'homme noir et demeure incontestablement solidaire de sa révolte contre l'interdiction dont il est frappé.

Je sus qu'il est un point à déterminer où tout ce que j'avais appris à diviser, tout ce qui, jusqu'alors, était à mes yeux irrévocablement séparé d'une barrière, – qu'il est un point à déterminer où tout cela – et le bien et le mal, et la vie et la mort, et le spirituel et le matériel, et la joie et la souffrance, "et le haut et le bas – n'est pas contradictoire".

Je sus que la "voie royale" est unique.

Je sus que "la beauté est convulsive".

Et cela, à jamais.

*

Si, du haut de la montagne dont les courbes de niveau s'étagnent en cinq degrés d'un immense escalier de pierre couvert de brousailles et dont le faîte barre le ciel d'une horizontale, en un point, brisée, – si, du haut de la montagne, je me lance de l'autre côté, je trouve le chemin de l'eau qui mène en Guinée.

L'enfant prodigue s'en retournant, par une telle voie mystérieuse, à la terre ancestrale, découvre l'excentricité des fleurs sous-marines et chaque grotte où monte la garde le dragon ailé à la bouche en flammes qui interdit à la sym'bi l'étreinte du beau nègre dont la brasse esquisse l'aventure d'un désir – ou le désir de l'aventure?

Seule la mort révèle ces merveilles.

Du beau ruban de l'arc-en-ciel ou d'un noeud d'azur, par la vertu inespérée d'un mot dont je te soufflerai le secret de la bouche à l'oreille, le paysan d'Haïti amarre la longue chevelure effilochée de la pluie.

Demi-cercle bigarré que, de trois doigts "égaillés", tu traces, marquant la place de chaque couleur d'absinthe, – la couleuvre (dont la tête boit l'eau d'Inquite tandis qu'elle plonge et fait mousser sa queue de paon dans le Guayamounc) ferme le circuit par delà les ondes et propose un cerceau à mon saut.

Je perce d'un coup le coeur lumineux des mystères nègres.

*

à M...

Elle vint dans l'auréole de l'apparition à Bernadette.

Mais elle avait la grâce charnelle de la maîtresse de l'eau dont le charme égare celui qui s'aventure jusqu'à la clarté des seins lunaires.

Et quand ses lèvres s'écartent pour le moindre mot au vent, c'est bien le chant qui ensorcelle.

J'ai trouvé dans cette enfant un dédain des apparats et un tel abandon à sa puissance native: la beauté primitive de la femme.

J'ai cherché dans ta chevelure crénelée le peigne légendaire.

Je ne sais si mon invocation à l'hôtesse impossible du palais de glace qui se meut au gré des ondes t'a fait émerger soudain d'un nuage, au milieu de cette plaine désertique.

Je ne sais si ton départ, dans l'éclair d'un sourire, m'a emporté.

J'en jugerai par une nouvelle interpellation des dieux.

Quand tu reviendras, ce sera pour la sieste dans mes bras. Nous entrerons dans le péril du figuier-maudit et l'air lavé du ruisseau proche. L'amour est assaut au danger. Les forces les plus infimes et les plus secrètes nous guettent. Il est vrai qu'il y a le rempart de ta poitrine et moi tendu comme un javelot près de toi. Ma main encage ton sein où ton coeur demeure libre de battre effrontément.

Pour t'éviter la colère ou la méchanceté sournoise des loas, pour accueillir ton pas dans l'antre des mystères où mon désir tremble aux courbes de tes mollets, pour que Legba "souffle sur les ailes des portes" et livre passage à ce couple en route vers la terre promise, – le houngan essaimera les étoiles de maïs aux quatre points du monde.

Voilà que je couvre de mon bras tes épaules dorées qu'agite la terreur sacrée – ou ce rythme troublant grondé par l'assôtor?

Je vois dans tes yeux la lueur de ton amour exalté par les flammes qui lèchent les hanches de la négresse.

Sous l'arbre aux racines de couleuvres, dans le hamac où ton corps s'imprime à mon corps, l'amour est le seul dieu qui nous préserve de nous-mêmes.

*

pour René Bélance

Un art qui prend source dans la vie même du nègre et sans cesse en quête de la voie de dignité où l'homme se retrouve tel qu'il se cherche.

L'espoir est sous-jacent et, chaque fois, refoulé par la vague de négation.

Ce qui est bien toi, c'est la tourmente, quelque chose de désespérément tendu, de douloureux, de presque cruel, écoute: quelque chose de convulsif – c'est donc la beauté.

Une onde qu'agite l'obscur remous des fonds et soudain désordonné (libre cours, quoi!), charriant toutes les forces de l'être délivrées – sillonnée d'éclairs jaillis de quel lieu d'orage et de lumière!

Ah! voici l'amour. Mais il fut toujours là, se mêlant à l'effroi du poète, à sa haine, à la frénésie de sa protestation contre l'incohérence d'un monde qu'il se refuse à admettre et ne peut s'empêcher de "constater". Parfois, c'est une halte, une fenêtre sur la plage où la mer est proche avec la clarté touffue de ses végétations – la mer dont les flancs, malgré tout, restent déchirés du cri des négriers. Et c'est la marée montante de l'angoisse.

Je m'oppose pourtant à la hantise des horizons succombant à l'assaut des nuages où Demain semble condamné.

Explique-moi la vie. C'est, hagard, dans la fièvre ou la crise de la "réception" que le poète perçoit la propre voix de ses ténèbres. Solidaire, à coup sûr, de son oeuvre, il n'en est pas moins tributaire de l'inconnu.

À sa courbe actuelle d'ascencion, l'expression, absolument originale, jusqu'à nudité s'allège du souci esthétique.

Le rythme, de plus en plus, se perd dans le grand souffle de vie qui ne se connaît pas de limites.

Cette nuit foisonne de lueurs qui frappent le seuil de domaines fabuleux, de formes révélées, d'images à peine entrevues et que voilà à jamais captées.

Tous ne sont pas admis à partager une telle vision. Sommes-nous responsables de l'aveuglément des autres? Notre désir – notre but – est qu'ils recouvrent la vue ou plutôt qu'une fois pour toutes s'ouvrent leurs yeux au vertige de ce soleil.

*

Que si le souvenir s'effrite et meurt, je perds l'autre une nouvelle fois; et irrémédiablement. Il ne faut pas. Mais comment admettre ce climat où l'ombre de la mort flotte sur toi? La plus légère inquiétude s'exalte à la mesure de l'angoisse. Le moindre trouble, et me voici déjà penché sur l'abîme, les bras en avant, pour te saisir et t'arracher de haute lutte au néant qui nous guette.

J'abandonne une main mais c'est pour te garder et, que je tienne à la gauche ou à la droite, n'importe – ah! c'est que je désespérerais qu'elle ne pût te guider et sentir tout au bout la douceur enfantine de ta paume. Je serre tes poignets des anneaux de mes doigts (au creux du pouce et de l'index, rien que ça): de toi à moi, le désir douloureux de doubler le cap et tout le flux de vie persistante et sûre. Mon regard qui tient tes yeux apprivoisés est un foyer de fol espoir qui bat des ailes vers la grande clarté de demain, une braise où rougeoie le dur courage, un lieu magique où s'affirme à jamais le refus à tout "renoncement" et dont l'éclair inéluctable perce de son glaive nu les grandes ombres qui défaillent.

Je veux que s'avoue vaincu l'archange implacable de la défaite, que j'abats de la seule flèche de ce feu qui te crée une cloche de verre où la vie s'ébat avec l'effronterie et la force de la jeunesse.

*

pour Guy

Un langage que parcourt le frisson de la poésie et qui, de plus, a chance de faire scandale. Tu parles au nom de quelque chose, je ne dirai pas d'éternel mais d'essentiellement solidaitre du monde de l'homme. Tu réclames le droit à toute beauté. Il n'y a qu'un vers qui soit cruel – avec ou malgré Rimbaud – parce qu'il porte le vestige d'un individualisme encore trop exclusif. C'est se leurrer que de dire: absence. Il s'agit, plus que jamais, d'être présent. (À moins que l'absence ne soit la porte qui débouche sur la plus grande présence?).

Un geste d'amour qui confonde l'être aimé et l'objet aimé. Un sens stupéfiant du réel que chavire à tout moment un lyrisme qui ne désarme pas. Le don de l'humour (si rare chez nous). Des images singulières qui fusent de ta main – mais non, je deviens incohérent – de toute la nuit et de toute la lumière que tu portes en toi à la nuit qu'illuminent tes yeux et dont la clarté te fait fermer les yeux. Des images dont la dernière s'ouvre sur un autre monde (qui n'est, selon le mot d'Eluard, autre part que dans le nôtre) où "personne ne cassera plus la gueule à la lune" et où se réalisent déjà des promesses de "miel sur la langue en fleur des petits enfants" à qui la vie accorde désormais le plein droit de rire[1].

*

La vieille petite fée est bien morte. Si loin que je sois d'une certaine idée d'éternité, il me semble que jusque-là j'accordais à celle-là que j'appelais "Ma Dame" un pouvoir de vie à quoi rien, à mes yeux, ne justifiait de limite. Hors du temps, je t'attachais à moi comme un fétiche, dans tout ta personne menue de vieille aux yeux bleus d'amour. Ne t'appelais-tu pas toi-même fée? Je suis fée, disais-tu. Et chaque fois que je te regardais, je pensais: tu es fée. Peu de choses valaient l'éclat de ton regard que tu plongeais dans le mien pour y retrouver, fidèle, dans la sérénité de ton grand âge et la lumière de ton coeur à jamais jeune, l'écho de cette passion que tu n'emportas qu'avec toi. Pourquoi y aurait-il accroc à la seule loi sûre du monde? Ce jour devait arriver avec la fatalité du fleuve qui baigne sa longue chevelure d'eau dans la mer. Et il ne m'était pas advenu de penser qu'il te manquât l'arc de mon bras où s'appuyait ta main d'enfant, frippée comme un mouchoir désuet, et que je pusse être soudain privé de l'air qui venait de toi. Rien ne rendra l'homme sage. Toute pensée va contre l'absolu. Je ris de mon incroyance. La vieille petite fée est bien morte.

*

Il y a des gens qui désespèrent de mon pays. Ils disent:

---

1 – *Dernier quartier*, poème inédit et détruit de mon frère Guy Laraque.

"ce pays". Rien ne se fera de grand avec ta prunelle sans feu ou ta lèvre désabuséee ou ton bras qui traîne comme une chose inutile. Si l'on doute des jeunes poitrines qui se gonflent d'un tel souffle de vie que tout le devenir humain se charge de la clarté explosive des doigts qui grattent le sol où le jaillissement de l'eau propose déjà la grâce d'un miroir au triomphe de mon sourire et qui sont, du même coup, des flèches dans le ciel; si l'on doute de la démarche ailée de cette femme, au ras des précipices, vers le sommet où le soleil est proche à être saisi comme un ballon dont nos gosses joueront et comme une broche à poser entre des seins plus beaux d'être nus dans la lumière des mains – c'est qu'il y a de gens qui ne voient pas!

Il n'y a plus de place pour les faux prophètes. La cité est comble de l'espoir des hommes et femmes qui luttent corps et âme pour soit banni le temps de la faillite. Ce qui a prévalu jusqu'ici, ce qui a présidé aux démarches de cet animal qui s'est pompeusement érigé en pontif du Maître de l'univers, en dépit des lois profondes qui le démentent (comme si, d'ailleurs, l'univers avait besoin d'un maître) – ce n'est pas "la volonté de créer l'homme complet", c'est la volonté de dominer (Malraux). La savante inorganisation de l'économie capitaliste repose sur l'exploitation des possibilités totales de l'homme en vue de la domination. Mais une lueur a secoué l'horizon qui s'arborise de poings tendus, de voix qui ont désappris toute supplication et savent se lever haut comme des flammes. Le désert a mangé les anachorètes et se couvre d'un frémissement qui est la promesse des fleurs.

Il faut toutefois que je te prévienne que ce ne sera pas par un coup de baguette magique mais hache en main. L'ennemi n'a de cesse que son arme usée mais fourbie à souhait n'ait fendu le roc en deux. L'ennemi-qui-défaille-redoutable.

Qu'attends-tu pour brandir l'épée plus nue que ton sexe?

*

Faisant fi de la règle qui tend à nous ramener à la commune mesure, il faut bien que quelque chose rende compte de tout passage ici, sous peine de démission individuelle ou collective de la condition d'homme – cette condition entendue dans son potentiel de dignité et de défi. La seule force de ta protestation me répond de la validité de ton espoir. Que dis-je, fût-il sans issue, le sens de la rébellion témoigne de la plus grande raison d'être que je quête encore dans l'être. Tout donne à penser que cette nécessité faute de quoi la moindre prétention de l'homme est absolument injustifiable, se fait aussi impérieuse "en art que dans la vie". Les ombres qu'on te propose n'ont pas droit à tes yeux (Eluard). Il semble même que soit tentée de nous les imposer la grande découverte barbare des temps modernes, livrée à des fins essentielles de destruction de l'espèce humaine. Le nouveau mythe assigne sa limite à la science et convainc l'homme de son destin de se retourner contre soi pour se dévorer. Mais la flèche d'un regard, parti du bel arc de tes paupières, atteint l'étoile qui luit juste au dessus de ma tête. Le ciel de la nuit tropicale que je te dédie se pare de toute la richesse d'un prisme dont tu tournes à volonté les mille facettes. La lune s'annonce comme une brèche pratiquée à cette paroi qui suppose une féérie dont un maléfice nous a condamné l'accès. Mais, si nos deux bras nous enchaînent par la taille – des deux autres battant des ailes – d'un bond, je m'élance et t'ouvre la porte qui donne sur la mer d'herbes basses où un jeune nègre et une fille blanche, des palmes de leurs mains, "secouent la rosée" sur ton passage, jusqu'au nouvel arbre de connaissance qu'indique la rencontre du mage.

*

Ah! la voilà qui revient. Tout-à-fait la même, avec sa face aveugle. Pourtant, ses coups répétés ne susciteront pas un stérile désespoir ni la résignation plus desséchante encore. Je reste tel que tu me connus. Le bras qui me renverse déclenche le ressort qui me dresse sur les pieds. Ton horrible grimace force l'enfant à se cacher la tête mais ses yeux qui se lèvent bientôt portent la rosée du matin.

*

pour René et Guy

Incontestablement, chez les deux le **primitif** domine. Mais, d'un côté, c'est la "primitivité" donnée, primordiale, le choc de l'homme **premier** avec le monde, le raccourci fulgurant du processus inconscient des angoisses, des révoltes, des désirs, de toutes les démarches de l'être au sein de l'univers hostile, le rêve qui s'inorganise dans la magnificience des jets non contenus, l'instinct superbement livré à soi et qui libère ses charges explosives, la puissance prodigieuse d'une imagination à bride abattue qui cavalcade dans le sang du poète, renverse les obstacles de la nature, cueille au passage fleurs, étoiles, sourires de femmes, coquillages, se cabre, saute monts et chutes d'eau et passe en trombe par la porte grande ouverte du merveilleux, à la conquête de la nouvelle toison d'or. Un tempérament poétique fondamentalement hirsute.

De l'autre, c'est la primitivité **retrouvée** à travers l'intellect. L'homme civilisé en face de l'échec de la civilisation. Soudain en rupture de ban. Et qui fait flèche de tout bois. Pour abattre les laideurs, ravaler à plat les monstruosités de ce temps inique. L'humour noir des lutins, tirant le poil à la vieille-fille-dévote, chiant sur le haut-de-forme d'un monsieur-très-bien, dégaînant en pleine place publique l'arme droite d'un sexe, lui vient à la rescousse. Il semble se foutre de tout et de lui-même. Un moment d'oubli, si ténu, il s'attendrit sur le regard ou le sein de la sirène. Ses mains frémissent de frôler une chair tendre et dure. Mais un rire bouscule la comédie. La lutte fait rage et, à travers mille péripéties, il reprend le chemin inverse de l'homme et du monde pour retrouver la caverne et la forêt vierge et la pûreté de son coeur.

*

à M...

Quand ton bras s'infléchit à mon cou pour un plus doux et si discret enlacement, j'ai la tête qui chavire en un lent tourbillon, ma bouche à la dérive dans tes cheveux. L'ivresse charnelle de ta présence contre mon corps debout dans la danse d'aimer me balance au bord de la toute déraison.

Si ton regard se noie au delà des paupières, je défaille à la source même de ta fièvre et que s'entrecroisent les mailles de la chaîne qui nous lie, je mords à pleines dents de chacal la pulpe mûrissante de ta joue gauche ou la genade de ta gorge farouche-effarouchée.

Au seuil de la libre clairière – ou de la fantasque très réelle jungle? – ton sourire me prend au lasso. Ton sourire qui désarme et n'a pas désarmé, ton sourire de feuilles ranimées m'encercle et je me cogne le front à toutes vitres brisées.

*

à une autre M...

Haute en jambes, elle avait, quand elle souriait, une petite moue du bout des lèvres qui gardait le don très singulier de me porter sur les nerfs. Assise, elle se fragilisait sous sa chevelure consumante dont la vague mourait aux rives de ses hanches. Pourtant, elle était dure dans le silence, trop dure dans ces moments réticents de désirs près de craqueler l'écorce où nos regards soudain croisaient les fers.

De la plus tendre naissance à la pointe extrême, ah! j'imprimerai à tes seins les trois points de sésame pour que se défasse la boucle de tes cuisses et c'est moi qui sais quel trésor nous attend et de douceur et de cruauté.

*

pour Pierre Mabille

Je viens dire aujourd'hui que la science n'est pas condamnée.

Certes, quand l'homme détient le pouvoir de détruire ce qu'il ne peut constuire; quand ce pouvoir même le dépasse, puisqu'il ignore le secret d'en limiter les ravages; quand l'humanité toute entière apprend qu'elle est à la merci de quelques savants eux-mêmes soumis aux décisions sans appel de politiciens dont on sait assez ce qu'il est permis d'attendre – un grand frisson de désarroi, parti du foyer de la vie, secoue l'être de la tête aux pieds. Un vent de panique pousse la porte de l'âme la mieux assurée et y jette le cri de la nuit. Un cri perçant comme une lance à bout de bras; hérissé comme une bête menacée. Un cri qui fait peur. Et de qui a peur.

(J'éprouve mon inaptitude à soulever l'aile fragile d'un mot).

Je ne sais quoi alimente toutefois en moi un grave espoir. L'instinct de conservation personnelle, greffé sur le sentiment grégaire de la préservation de l'espèce, retiendra peut-être le dément de se lancer dans le vide. J'attends l'action concertée de tous ceux qui se sentent indûment passer la corde au cou. Tout me donne à penser que sous la blanche rafale qui cingle la terre où seul l'espoir noir situe notre présence au ras de l'abime, l'évolution des faits déterminera un comportement plus rationnel, et à la fois plus sain, des savants ou alors l'angoisse créatrice des hommes qui ont pris position pour l'homme aura glané, dans le champ de l'inconnu, la paille miraculeuse qui sera l'antidote. Je crois en l'infinie ressource de la matière et de l'esprit. Le sens de la science (j'entends aussi son destin) est dans la conscience des savants.

*

Sans nullement confirmer la différence bourgeoise entre liberté et licence – sachant que le fallacieux prétexte cache trop souvent la volonté de maintenir un ordre qui n'est qu'un désordre – mais en enprenant justement le contre-pied, il importe de préciser que notre assaut à "l'internationale dorée" (qui, à proprement parler, détient la licence en chasse gardée) est bien une forme de liberté. Celle-ci se doit donc, pou être, de lutter à souffle éperdu et jamais perdu. D'abord et surtout, avec une lucidité farouche, contre ceux qui, se voilant de son nom, lui livrent un combat macabre.

Luttons pour la recherche collective du bonheur.

*

Dans le tourbillon qui brouille les cartes et les fait danser en l'air en feuilles folles, que viens-tu chercher, toi, frêle jet d'étoiles, de chants, d'ailes de cristal et de houppes fraîches?

La reine qui interdit le silence à mes yeux s'avance sous l'arc de triomphe de nos mains haut tendues.

Un phallus mime la colonne Vendome.

Mais quoi! quel rire chavire la barque des rêves?

Un grand oiseau noir s'en vient en trombe jucher sur mon nez. Avoue qu'il a choisi – s'il a choisi – une position fort incommode. Il s'agit bien d'avoir ses aises! Garder, coûte que coûte, l'essentiel.

M'est avis que le cher animal tiendra sans décence dans la corbeille de mon bras recourbé, non sans s'agriffer à mes flancs de côteau. Ceci dit, voici que se fend la muraille, au simple coup de baguette de mon regard, pour que jaillisse la source miraculeuse: de l'autre côté, une femme nue (un ange sans ailes et, ma foi, à poil, c'est Ève), debout au mitan d'un arbre en feu, char que trainent deux coursiers de pierre brute, à la queue toute d'étincelles.

Tu nais de l'écume et renais des flammes.

*

pour Guy

Rien qu'à lire *Africamour**, on se sent, dans un vertige de raz-de-marrée où tremblent les dernières phosphorescences de la cendre, transporté dans un monde où toutes les valeurs (et celles qui, par tradition, représentent le privilège exclusif d'un groupe – et celles qui, dans la conscience des hommes luttant sans désemparer pour un meilleur devenir humain, sont appelées à remplacer les premières – et celles enfin qui, de la tempête des siècles, ont su garder le pouvoir de constituer le patrimoine du génie de notre espèce), où toutes les valeurs, dis-je, sont, sans discrimination ni merci, mises à bas. Je ne puis alors qu'appeler à l'aide un souvenir: ayant eu le pressentiment qu'un ami très cher se lançait sur la route sans issue (je sais que la mort même n'est pas issue, qui choisit la négation de la dignité de la vie), il a suffi que, d'instinct je lui fisse le signe d'intelligence d'une main qui refuse de déserter pour qu'aussitôt nous fût révélé le mystère de l'angoisse portant, à bout de souffle, le germe de l'espoir.

Je dis que la flèche du désespoir a fendu l'écorce de l'arbre pour livrer passage à la sève de vie.

---

*Africamour, poème inédit de l'auteur de *Dernier quartier*, précedemment cité.

Je crains pourtant que la blessure ne soit ici plus profonde et plus noir le bandeau qui arrête la vague de lumière au seuil de tes yeux. Il est incontestablement temps, sous risque de péril, qu'entre en jeu la force de bascule qui fait que, quand le soleil chavire sous nos pas, la mer est soudain suspendue au dessus de nous, non comme une menace mais comme une promesse nouvelle, avec ses étoiles de coquillages, où la fleur sous-marine prend place de lune.

Comment douter que cette voix ne soit l'éclair qui "scalpe la nuit"? (Char.)

*

pour Aimé Césaire

Quand ta main frappe le tambour des loas, c'est une source qui jaillit, c'est l'éveil touffu de la brousse, c'est le rappel déroutant, le sifflement des lanières (tu sais la morsure de cette chanson), deux yeux où brille soudain le reflet du canon qui t'a mis en joue (Breton) et puis c'est un bras qui se lève, lourd de siècles de souffrances et de silence, de luttes de feu, de mers sans chaînes, de montagnes fracassées, chargé du temps d'espérance – ah! vengeance, non, ah! justice – et c'est le sourire d'ivoire de ta grande bouche noire.

Chaque fois que la baguette frappe la peau du tambour (les cicatrices de mille dos saignant à blanc), oui, c'est bien la source qui jaillit, c'est une lueur de lutin qui bondit – la plus haute flamme d'une nuit qui déboucha sur la plus rouge aurore – et c'est la fermeture-éclair d'une étoile filante (fais un voeu) – Liberté, liberté, mais avec des crânes troués et la savane de nos mains où poussent les champignons des machettes et des fusils – et nos dents farouches et le dur glaive du soleil en ta poitrine fendue de part en part.

Mais c'est aussi une négresse qui chante sa plus lointaine

douleur, sa plus lointaine douleur et son seul amour.

La voix du vieil Ibo remue le sable du désert d'où sortira
– ô poésie – la perle des mers, froide, malgré l'haleine fumante du
dragon.

*

Aux frontières du passé et de l'avenir (souvenir ou
prémonition?), aux portes mêmes de l'insaisissable présent,
j'entends ta démarche s'irradier.

Qui s'annonce à moi dans une fourrure d'ombre?

Est-ce une "mambo" posant un pied nouveau dans la
grande clairière où les mille plis d'onde de l'air familier
esquissent mensongèrement la courbe de ton visage ou la même
Athéna qui s'en revient dans une autre?

Des mollets à la nuque l'amour se précise.

J'attends que le rêve se fasse chair dans la plus jeune
aube de la terre.

L'étoile qui brille dans tes yeux, je dis que c'est Vénus;
et, à chacun de tes sourires, elle se multiplie dans l'éclat de tes
dents tandis qu'une lune minuscule se fait jour entre les ailes
recourbées de tes narines et le bout de ta lèvre en suspens – et
qu'au sommet de l'angle le plus aigu de tes seins l'étoile du matin
luit de toute la lumière de ton coeur.

*

Je tiens la balance égale entre le jour et la nuit.

*

Dans la conquête comme dans la garde de la liberté, il faut tout bannir qui ne soit pur comme le fil de l'épée.

*

La mort ne vaut pas que son pesant d'os. Elle a le poids de la vie.

*

Le corps d'Athéna m'est garant de son âme.

*

La nuit et le jour se confondent en tes yeux.

*

Poésie n'est refuge ni mirage: elle ouvre les portes de la plus haute magie de l'univers où brûle le foyer de vérité.

*

Il est hors de doute que la poésie, plus que jamais, ne va pas sans un besoin vital de fureur.

*

Dans la caverne sublunaire du rêve, un grand miroir debout renvoie l'image même de la réalité.

*

De la plus grande solitude naît la plus grande communion.

*

La peine capitale est de démériter de l'homme.

*

Je te salue, ô glaive de la pensée, mais le temps est venu. Le geste d'encercler le poignet du réel reste la dernière chance. J'entends: sans te perdre d'un pas. Le feu même de l'épreuve et l'épreuve du feu.

*

Je me détache de moi pour naître moi-même.

*

le rêve a rejeté l'épave sur les rives du réel.

*

la rose des jours s'effeuille
et j'ai chanté pour l'ombre
ce n'est pas que meure l'espoir
je nais à la vérité nouvelle

*

l'ivresse est proche
amour amour
danse vague des vagues
mon corps divague

*

j'abolis le règne du fantôme

*

je t'arrive vierge du baiser d'Athéna

*

il m'a fallu dix ans pour la perdre sans me perdre moi-même

*

seul demeure ce regard où renaît le sens du monde

*

C'est bien au surréalisme qu'Athéna doit de t'avoir survécu.

Sauf une seule qui fut, à proprement parler, *le sel sur la plaie* et faillit me prendre dans ses filets (mais l'ange était encore trop proche), toutes les femmes que j'ai connues *depuis* n'ont été plus ou moins qu'un verre d'alcool qui donne l'ivresse passagère.

Bélance m'a dit: "Véronique est morte avant moi".

Ma quête n'aura de cesse que je n'aie trouvé, la chair secouée du tremblement d'aimer, la femme avec qui boire le *philtre*, de la bouche à la bouche.

*

Le souvenir de la morte hante déjà l'image de celle qui n'est pas encore née à notre amour. Je me conseille: prends garde.

J'avais transféré à Athéna le pouvoir de Dieu.

Dieu est un guerrier sournois; c'est un type-à-tout-faire. Quand il s'avoue vaincu, il épie le moment de nous voir à genoux. Il prend toutes les formes. Il ne faut pas traquer Dieu seulement en parole. Le mal serait qu'il n'y eût qu'un changement de nom. Que veut dire: une femme *élue* pour moi? Soyons vigilants.

Tanagra ne sera qu'une femme entre les femmes.

*

Toute une tradition lyrique d'aventures, vécues ou imaginaires, prenant source, semble-t-il, aux sources du temps, aboutit à nous faire croire l'amour irrémédiablement sous le joug de la fatalité. À son plus haut degré, il est pouvoir de souffrir l'un par l'autre. L'on dit: amour idéal; ce n'est qu'amour idéaliste.

Pour la première fois, peut-être, dans l'histoire, le monde qui se lève s'insurge contre cette obsession du malheur.

Nous puiserons la force d'aimer dans nos luttes communes, mêmes angoisses, mêmes joies, mêmes espoirs – et dans ce regard confondu qui reflète l'univers.

*

Que tu sois celle qui me *foudroie* pour que je renaîsse de mes cendres
que tu sois celle qui qui me gagne pouce à pouce, *jusqu'à la goutte d'eau qui fait déborder le vase*
que tu sois celle qui, *un beau jour*, sans crier gare, croyant franchir la porte de l'habitude, force celle de la découverte
que la communion d'idées soit la sève de notre amour
ou que la communion d'aimer soit la sève de nos idées
ou qu'enfin de l'une à l'autre le flux se maintienne à niveau d'homme
– IL EST TEMPS

*

Que si je te confronte avec la femme que j'imagine, il n'est rien qui plaide pour que tu me séduises.

C'est toi que j'aime.

Quand je romps le pain frais de ta chair et que, dans la nuit de nos désirs, ton corps ne s'auréole d'autre lumière que de la lumière même de ton corps, je ne sais quel mystère s'élabore pour qu'en moi défaille l'homme que j'ai connu. C'est à ce moment où je suis près de m'avouer vaincu que je te soupçonne de devenir, à ton insu, celle-là que j'ai seule choisie.

Doubler dangereusement ensemble le cap de nos contradictions.

Ne tente pas que je me renie, toi que je porte à ta propre découverte.

L'espoir demeure que de la rencontre fatale de nos sexes jaillisse l'étincelle d'une pensée commune.

*

> *pour Ruby,*
> *"Que tu le voulusses ou non,*
> *tu étais quitte".*
> **Breton**

Je n'avais pas accoutumé de t'accorder beaucoup d'attention. Mais, depuis que l'amour a fondu sur toi comme un aigle jusqu'aux heures marquées du double signe de "l'épervier de la mort", tu m'es apparue – miroir de la vie en ce qu'elle contient de désespérante beauté où je distingue, toutefois, les gages de clarté qui font mes raisons d'être – *"d'une dignité à toute épreuve"*.

Rien n'effacera de la nuit des partages la domination d'un front de femme.

*

Ce soir-là, j'ai gardé le privilège exclusif de te regarder dans le blanc des yeux, sans frémir et sans courber la tête. Car tu étais celle dont on n'affronte pas le regard. Dans ce climat d'extrême insécurité, il s'est institué un langage insolite entre deux ombres dont j'ai pu seulement retenir que l'homme qui ne vivait plus qu'en toi résorbait le sens du monde et que tu étais sous le coup d'une menace fantastique – soudain ramenée dans la grande chambre noire de l'enfance pétrifiée d'angoisse, telle que le suggéraient ces mots sans cesse répétés tout bas: "j'ai peur... j'ai peur" – comme si rien n'était encore arrivé.

*

Une fois, je t'ai vue comme une mer lancée sur le rivage. Tes bras défaillaient sur les épaules d'un homme en cire... Mais où tu fus inaccessible, c'est quand, dans la mêlée, à travers le treillis des poignées de mains et des fleurs, tu as changé ta douleur en statue. Sans mot, sans larme, dressant ta haute silhouette mince dans le désert de nos présences.

*

Lorsqu'en plein soleil de cette rue dont l'aube, m'as-tu dit, vous vit jusqu'au bout enlacés, je perçus contre mon oreille le souffle de ta voix la plus souterraine – l'air tremblait de toutes se feuilles – je sus que, dans le grand orage de tes vingt ans, c'était la bouée qui, malgré tout, marquait la route du salut.

*

Je demeure convaincu que la poésie ne s'assigne pas pour but d'être comprise mais d'être sentie (ce qui n'implique pas d'ailleurs qu'elle ne *doive pas* être comprise). Mais où le problème se corse, c'est que notre sens artistique (affiné par une tradition tumultueuse qui se flatte de remonter à la genèse des cultures) ne coincide pas avec celui des masses pour qui nous nous sommes donné mission de parler. Ce décalage, portant le reflet de la contradiction économico-sociale du milieu et de l'époque, suscite l'angoisse de l'intellectualité d'avant-garde. Le premier pas est de surmonter cette angoisse en jetant dans la balance le poids de notre espoir dans le devenir de l'homme. Et, à tout prendre, cette situation, au prime abord tragique, me paraît exaltante. Que nous voilà loin de tout académisme. Nous ne sommes pas *"arrivés"*, pas *"assis"*, mais en *"chasse"*. C'est à nous à créer notre propre formule et à trouver la voix qui atteigne le peuple au coeur.

*

Nous, pour qui la poésie a été une certaine façon de "dire non" – et l'objectif premier demeure jusque-là de faire échec, donc de soustraire – sommes aussi comptables, d'ores et déjà, des signes additionnels à la balance. Plaçons la multiplication à partir de la division du pain.

Par le long tunnel de la faim (ô terre féconde), tu t'annonces dans l'aurore des faits: impératrice de la parole.

En prenant le radical d'un mot et la terminaison d'un autre (deux mots qu'on nous a tant accoutumés à "catégoriser" pour contradictoires), Francis Ponge a **nommé** une nouvelle forme de l'art d'écrire. Par cette alliance, il a saisi le point d'équilibre, le centre de gravitation. C'est ainsi que l'on pourrait penser que la racine de la poésie, c'est la prose et que la destination de la prose, c'est la poésie.

*

Il faut que le vodou passe de la vie à l'art. Le théâtre, par exemple, comme chacun sait, avant d'être un art, fut partie intégrante de la vie religieuse des peuples. J'entends que la base de comparaison est justement ce passage du sacré au profane. L'art est ici indice de compensation, autant que la science moyen d'exorcisme: la fin de tout étant le nouveau visage de l'homme.

*

Je parle de ce port où toute arrivée est un départ.

*

Nul appel n'est isolable de la voix qui le lance.

*

La vérité est toujours nue
au bout de la nuit

*

Enfin, Narcisse disparaît au fond du lac.

*

Le privilège de l'enfance est un privilège d'enfant.

*

Il n'est de liberté que conquise.

*

Peu à peu, l'homme prend sa place dans la nature: au rang de toutes choses et en tête.

*

Notre seul espoir est cette terre que Francis Ponge appelle: ***Ici-haut***.

*

Un temps pour saccager et un temps pour construire.

*

Homme, ton corps est pour la terre, ton esprit pour les hommes.

*

Je suis au carrefour où prose et poésie font cause commune.

*

Il ne suffit pas que nos deux corps s'accordent.

*

Avec ou sans toi, ma place est sur terre.

*

Ton amour s'inscrira à l'équinoxe de ma vie.

*

le temps est venu
d'aimer l'éclair
plus que la nuit

*

d'ouvrir la fenêtre sur l'aube
nos mains ont ensemble tremblé

*

Je t'ai dit: si nous voulons vivre pour une cause, il faut être prêts à mourir pour elle.

Et toi: si nous voulons être prêts à mourir pour une cause, il faut d'abord vivre pour elle.

Propos de sourcier

Index des mots créoles

Assôtor	: grand tambour cônique, consacré aux loas.
Boucan	: feu de bois ou d'herbes sèches.
Houngan	: prête du vodou, religion du peuple haïtien.
Legba	: loa des chemins, des carrefours et des barrières.
loa	: dieu ou déesse du vodou.
Mambo	: prêtresse du vodou.
Mapou	: arbre des régions tropicales, à tronc énorme; arbre sacré, dans la mythologie vodouesque.

Simbi ou sym'bi : sirène, déesse de la mer, des eaux et surtout des sources.

L'option marxiste

Les armes quotidiennes /
Poésie quotidienne

Prix Casa de las Americas (poésie) 1979.

Paul Laraque est un poète bien connu en Haïti et dans la diaspora haïtienne pour son oeuvre poétique et ses prises de position politiques. Avant d'être obligé, à partir de 1960, de s'exiler à New York, il avait publié dans les revues littéraires d'Haïti sous le pseudonyme de Jacques Lenoir, des poèmes et des essais sur les problèmes de la culture nationale.

Il poursuit maintenant son oeuvre en dehors d'Haïti et a fait paraître deux recueils de poèmes: *Ce qui demeure*, en langue française, et *Fistibal*, en langue créole.

Le présent volume rassemble des vers qui ont été écrits tout au long de sa carrière de poète. Les deux parties de ce volume: *Les armes quotidiennes* et *Poésie quotidienne* correspondent à deux courants d'inspiration et à deux techniques d'écriture.

Dans *Les armes quotidiennes* nous trouvons des poèmes où l'engagement politique apparaît nettement. C'est là que se retrouvent à côté de poèmes récents, des oeuvres plus anciennes. Ce qui nous permet de voir la continuité du caractère militant de la poésie de Laraque. Haïti, pour lui, ce ne peut être d'abord qu'un peuple exploité dont le sort ne saurait se dissocier de celui des autres peuples dominés de la Caraïbe, de l'Afrique, du Tiers-Monde, en somme. Ainsi comme une source fécondante, un profond sentiment de révolte parcourt cette partie du recueil. Il donne sa justification au titre: "Les armes quotidiennes". Car le poète même s'il chante l'amour ou évoque avec nostalgie d'autres thèmes aussi intimes ne peut se fermer les yeux devant l'injustice sociale qui fait obstacle à nos rêves. Sa poésie dès lors ne peut être qu'un combat.

Mais à côté de cette urgence sociale, il y a la condition d'exilé du poète. Poésie quotidienne est une sorte de journal personnel où le poète consigne au jour le jour, ses méditations et s'efforce à partir de la pratique de l'écriture automatique de mener avec lui-même un dialogue où le rêve et la vie quotidienne se complèteront. La poésie de Paul Laraque, tantôt simple et parlant à voix discrète, dans *Poésie quotidienne*, tantôt traversée d'éclats de colère se traduisant en images fulgurantes dans *Les armes quotidiennes*, est cependant toujours marquée au coin d'une grande tendresse.

Casa de las Americas
(Notes de l'éditeur)

Les armes quotidiennes

(Prix Casa de las Americas 1979, La Havane)

Seules les sociétés qui préservent leur culture
sont capables de mobiliser et d'organiser les masses
pour la lutte contre la domination étrangère

Amilcar Cabral

À Marcelle
    ces poèmes qui annoncent sa venue et célèbrent sa présence
    à nos enfants Max, Serge et Danielle
    "pour un pays revécu né de la ronce de notre sang[1]"

aux
    fantômes immortels de mes amis
    Hamilton Garoute
    Jacques Stéphen Alexis
    Gérald Brisson

à toutes les victimes du "macoutisme" indigène,
    instrument néo-colonial et folklorique
    de la grande barbarie des temps modernes:
    l'impérialisme

pour
    une avant-garde révolutionaire capable de forger
    avec les masses paysannes et ouvrières
    la nouvelle indépendance d'Haïti
    sous la double bannière de Charlemagne Péralte[2]
    et de Jacques Roumain[3]

1 – Jean-Richard Laforest, in *Pierrot le Noir*, poème écrit en collaboration avec Anthony Phelps et Emile Ollivier.

2 – Chef de la guérilla paysanne des cacos contre l'Occupation américaine d'Haïti (1915–1934), assassiné par les yankees.

3 – Poète et romancier haïtien (1907–1944), auteur de *Gouverneurs de la rosée*. Fondateur du premier Parti Communiste Haïtien en 1934.

Qui vive?

L'image d'Haïti me saute à la gorge.

À l'intérieur: la famine, la peur, la corruption, l'impuissance, "la flétrissure amère de la seule égalité du désespoir".

À l'extérieur: le traditionnel "panier à crabes", la désunion savamment entretenue par l'ennemi, les querelles fatricides des uns et l'indifférence coupable des autres – en plein coeur de notre exil, l'arrogance impunie des "macoutes[4]".

Vision fantastique où l'absurde chevauche l'horreur.

Là, le pouvoir flotte et pas de main pour le saisir.

Ici, pas de pouvoir mais mille mains s'acharnant à en attraper l'ombre ou le fantôme.

Voici pourtant, déjà perceptible, la face cachée de la réalité:

dans le silence des "mornes" d'Haïti, un géant dort dont le réveil sera terrible;

dans "la nuit et le brouillard" des rives étrangères, des consciences s'éveillent, des mains se cherchent, des cadres se préparent puis, peu à peu, se mettent en place.

Soudain, le sombre éclat des armes...

L'avenir est à gagner par de durs combats et des sacrifices qui n'excluent pas celui de la vie car une voix ancienne lance à nouveau le mot de passe:

Si tu veux vivre pour une cause
il faut être prêt à mourir pour elle.

New York, 17-7-77

---

4 – Membres de la Gestapo des Duvalier.

Africamour*

Afrique j'ai gardé ta mémoire Afrique
tu es en moi

Comme l'écharde dans la blessure
comme un fétiche tutélaire au centre du village
fais de moi la pierre de ta fronde
de ma bouche les lèvres de ta plaie
de mes genoux les colonnes brisées de ton abaissement.

Pourtant

Je ne veux être que de votre race
ouvriers paysans de tous les pays

Jacques Roumain
(Bois d'ébène)

---

* Mot créé par mon frère Guy F. Laraque comme titre à l'un de ses fulgurants "Poèmes à Olime" qu'il a si malencontreusement détruits.

Glèbe

Conspiration des éléments
La pluie met à nu
L'os que blanchit le soleil
Sur le ciel haut
Pur comme un défi
L'homme noir jette sa voix
Clameur du vent
Ma sympathie résonne des protestations
Qui éclatent l'heure
Echo de mille lambis
Sauvés du grand silence blanc des lointains
Refoule ta révolte comme une mer retirée
Contre l'hostilité séculaire
Bouche à la glèbe
Le rire le rire élémentaire
À peine dépouillé d'angoisse
Dit la complicité nouvelle
De l'homme et de la terre
Sois nu de souffrance
Conspiration des éléments
La pluie nourrit le sol
Que sèche le soleil comme beau linge lavé
Et sur le ciel proche
Chant gonflé du devenir
L'homme noir dresse sa joie
Grande comme une clarté

(1944)

Fillette à la marelle

Ton pied unique
Buté
Cognant la pierre plate
En mesure l'élan
Parapluie
Sur l'aube de la cuisse
Ta jupe gonflée
Comme une boussole folle
Et le vol suspendu des ailes
Pour l'équilibre de la jambe ramenée
Ta cadence hésite et s'affirme
Tout pas vers moi porte le risque d'une chute
Et chaque seconde de hasard est notre chance balancée

(1945)

Vodou ci-la-la

du plus loin de mon enfance
remonte la chanson de l'herbe verte
la négresse au pas de la porte
et mon derrière sur mes talons
maman ô maman
prends garde de piétiner ma chevelure
pour un ananas
mon père m'a tué déjà

des femmes se sont arrêtées
au seuil de ma demeure
les plus belles
les plus fières
mais quand viendra l'amour
si humble que soit celle qui porte l'amour
ma mère
tu la baigneras de mon amour
et dis-lui qu'elle monte l'escalier

je plongerai au fond des eaux
(ô coraux
débris des beaux bateaux
flore secrète de la nature
alliée aux souvenirs de mes travaux)
quérir celle que l'inconnu tient prisonnière
et je briserai les chaînes de la mer

au carrefour des loas
évite l'ombre du figuier maudit
l'arbre qui ne produit pas de fruit
si minuit révèle au voyageur des bois
le frisson du peigne d'or aux cheveux de la sym'bi
sera fermée la barrière du retour
le chemin de la mort est le chemin de l'amour

vienne l'heure du tambour
après le dur labeur du jour
ma femme très pure
tremble dans ton ventre
l'Afrique est maîtresse

Les portes du vent s'ouvrent sans clé
la farine des contes est tirée
les arbres à pain vont pousser

l'enfant et la femme

la fenêtre du château s'éclaire
Toi debout
et nue
Ton image traverse le miroir de ma vie
Prise à la ligne du regard
pêche miraculeuse
la femme s'ébat dans l'eau des rêves

la lanterne magique de la mémoire
projette
sur l'écran de la réalité
les merveilles de ma folie
entre ciel et terre
son fanal de papier lancé à l'aventure
l'enfant se débat dans les filets du désir

(1972)

Paroles nègres*

"ceux qui n'ont inventé ni la poudre ni la boussole"

Césaire

Nous qui n'avons pas colonisé l'Afrique
Nous qui n'avons pas découvert l'Amérique
nous qui sommes couleur de Satan
nous qui ne sommes pas les fils d'Adam
nous qui n'avons mangé que le pain de l'ignorance
nous qui sommes les marécages du monde
Pourquoi descends-tu les marches du temps
Le blanc a fait du temps un escalier roulant
Nous nous levons
et notre danse c'est la terre qui tourne
notre chant qui rompt la vaisselle du silence
c'est le rythme sans nom des saisons
le carrefour des quatre éléments
Il y a la voix qui rougit les cerises du caféier
Il y a la voix qui enflamme la chevelure des cannes
Il y a la voix qui berce

      comme la musique des brises dans la
harpe invisible de l'espace
mais c'est aussi le piège des tempêtes qui soulèvent vos beaux
                         vaisseaux
et où gronde le tonnerre de nos tambours
Ogoun' ajuste bien ta fronde
Nous frapperons le soleil à mort
et la nuit sera notre bouclier

Sur ton ventre d'eau douce de négresse
mon index trouve la clé des vents

---

*Poème publié dans *Optique* sous le titre de "Nous Nègres"

et mon sexe est l'aiguille si ta chair est l'aimant
Guide moi à la source jaillie de tes doigts
Qu'on ne jette pas de l'eau à mon passage
et que les bras s'ouvrent comme des portes
il y a aussi la main qui mûrit le blé
Dans l'hiver des places publiques quelqu'un cherche refuge
          son visage a la blancheur de l'hiver
Dans le fleuve de misère les signaux de détresse sont signes
          d'intelligence
Dans les mines de la honte les hommes s'approchent peu à
          peu de notre couleur
Nous sommes le vin de l'angoisse et le vin de la lutte et le
          vin de l'espoir
Nous sommes le sang neuf dans les veines de la terre
Notre rire a chassé la vieille peur
la souffrance se tapit en boule comme une chatte
le tambour rétablit la communication des langages
le lambi perce le globe ténébreux des siècles du seul cri de la
          liberté
j'annonce l'aube
où toutes les torches noires seront des torches rouges

Silhouettes sur l'eau du temps

De l'antre à pas de nuage
Surgit la cohorte des vierges
Où domine une silhouette primitive
Un boulet comme le monde en ta main
Je tâte la vie de tes muscles
Parmi ton grand rire qui me confond

Tes pieds frappent le soleil
Ciel ouvert à ciel ouvert
Tu plonges dans la course des eaux
L'écume arrondit tes seins qui s'insurgent
Et le promontoire
Radeau dans l'air
Porte une statue tremblante de sel

Sur la rive des ans
Le flux amène un couple d'enfants
Athéna tragiquement belle
Je meurs aux flancs de l'infidèle
Toute pensée abdique les mots
J'ose ma faiblesse
Ecueil immérité
Tant m'assiège l'haleine du lointain

Amazone prodigue et rebelle
Captive amoureuse de la cage
Mer des yeux où tangue une nef
Fruit vert que mûrissent mes doigts
Je suis confondu du riche abandon
Et vais de flot à flot
Jusqu'à la tentation de Diane
farouche
Qui garde ses flèches

Lago*

tu fends l'herbe des deux bras
ta tête seule émerge
la vague te porte vers moi

l'herbe de guinée
tes jambes en gardent la mémoire
verte comme l'espoir

renaît le temps des loups-garous
et des sombres cachettes
tu te blottis près de moi
et je ne sais de quoi je halète
de la peur du mystère
ou du désir de toi

rondes et lagos
l'enfance dénoue ses anneaux
un homme en sort ébloui

la vie a beau changer de cours
le couteau en pleine poitrine
nous n'avons pas fini de rêver

---

* Publié en mai 1954 sous le titre de "Là-bas"

la fenêtre

assise au chambranle des rêves
tu inscris ta jambe dans l'aire de la rue
et le passant dont le regard dérive
s'immobilise
l'imagination prise à l'hameçon du désir

*

Le diamant noir

le diamant noir en main
d'un bouchon de liège carbonisé
un gamin de mon pays
fait à la réalité des moustaches de rêve

mon enfance aux yeux de source
mon enfance à l'arc-en-ciel
gagne le champ de ta poitrine
met à ton cou un collier d'arc-en-ciel
et monte au niveau de mes yeux de feu

le fleuve en une onde dissout mon sourire

je renonce aux jeux dérisoires
et te brûle
des hautes ténèbres du désespoir
qui forgeront l'aube grave de ton visage

des hommes nouveaux préparent la vie nouvelle

legba donne passage

la femme-centaure bondit de l'inconnu et
  cavalcade à perdre haleine dans la forêt
  de ma vie

plus humaine et cruelle
la maîtresse de l'eau fait signe
  au poète
et la nuit n'est que ma folie

l'ombre du mapou vibre de tes moindres frissons
  comme le mirage sur le sable
  à midi

mais la terre te transmet le pas
  de ton nègre

silence
une femme m'attend au carrefour

Soldat-marron

la chasse à l'homme a commencé

dans la brousse du passé
le carcan de l'angoisse au cou
le souffle court
je cours

les pas ennemis résonnent comme un gong

nègre marron nègre marron
sitôt pris
sitôt mis au cep
et ton maïs est mûr[5]

on me cherche par ici
  je me sauve par là
nouveau caco
   entre les jambes du marine
je me faufile
   je m'enfonce dans les bois
et
   par bonds de fauve
je me lance
claironnant de mon rire clair
   jusque dans les rangs des gendarmes la liberté

---

5 – Créolisme (maïs-ou-mu). Entendez: Ton compte est fait.

loa d'amour

à ma négresse

je t'appuie au poteau d'amour
j'ouvre la barrière de tes cuisses
ta tête chancelle comme une tour

sous la tonnelle de la peur
sur les épines du désir
dans l'herbe touffue de la douceur
je t'ai montée comme un loa
je t'ai clouée à l'arbre de douleur
j'ai hanté ta chair de ma joie
Erzulie maîtresse Erzulie ayez pitié de moi
le vertige du coït te soulève comme une flamme
Papa je te demande pardon
tes yeux chavirent dans l'au-delà

je recueille ta dépouille dans mes bras

Tanagra

Tandis que nous partons à la découverte de nos corps assemblés, peut-être ne serait-il pas vain que le vent d'est poussât la voile en plein dans la mer.

Un beau sentiment n'est pas plus beau que ta cuisse.

Je voudrais être très simple pour parler de ta bouche. Je sais le bonheur de voir se former dans sa puplpe les mots élémentaires de douleur et d'espoir que dicte l'instinct même de la vie. La bouche que j'ai rêvée. Telle que ta bouche seule peut être.

Dans le désert d'aimer la source de ta présence a jailli.

Je dis bien que ta jambe n'est pas une jambe enchantée et pourtant c'est quand même le charme – ce qui fait de moi un être hanté comme les bonnes gens disent qu'une maison est hantée.

Je vais t'emmener très loin de tout ce que tu as connu et rien qu'un regard en arrière te figera en sel. Nous sortons d'un monde où aimer est un courage pour aboutir en ce lieu où l'esprit n'est plus distinct de la chair et où la chair retrouvera l'innocence de l'amour.

Rien n'arrêtera notre course: ni la glace mobile des eaux que foulera notre pas ni les grands feux que nous franchirons, nus. On a tant bercé notre enfance de miracles mais aujourd'hui, c'est nous qui faisons les miracles.

Nous sommes côte à côte avec les hommes et les femmes qui luttent pour que les chaînes se brisent, pour que se lise liberté dans les yeux, pour que le pain comme l'amour soit partagé; et aussi pour que j'aie le droit de te regarder sans lâcheté et que ton ventre me reçoive comme la terre reçoit le grain qui porte la moisson de demain.

découverte de l'aimée

dans les champs quotidiens de la vie
où l'aube tremble de toutes les herbes de la nuit
j'ai récolté ta présence
l'amour a fait en nous un lent cheminement
et le moindre grain tombé du large tamis des vents
cherche son chemin en terre pour qu'enfin s'élabore
      l'arbre dont les feuilles aux feuilles d'azur
      se mêlent
un homme debout cueille les cerises du caféier
rouges comme le madras qui ceint le front des paysans
ou la gerbe fulgurante de la colère du peuple
ou l'aurore couronnant l'espoir des ouvriers
rouges ainsi que dans l'arène le taureau voit rouge
rouges comme le buisson ardent des épousailles
rouges comme le sang nègre au Pont-Rouge
un homme cueille des cerises
elles rassemblent leur couleur dans ta jupe relevée
      juste au niveau de la lumière des cuisses
et c'est une corbeille dont tes bras sont les anses

sur la plage qui s'étend comme la marge ardoisée d'un
      grand livre bleu
une femme m'offre des fleurs dont les tiges sont des
      clefs qui ouvrent les portes de la brousaille
      des jours
j'ai effeuillé la dernière rose noire du désespoir
ses pétales s'envolent en papillons d'oubli
je te dénude
tes armes naturelles demeurent tes seuls atours
enfant de paix et d'orage
étoile de mer
couloir d'ombre et passerelle de clarté
étable où la paille fraîche à la chaude haleine des bêtes s'allie
je te dénude

l'eau charrie les diamants qu'immobilise l'éclat de
      tes dents
la flamme t'apprivoise
quand s'ouvre à deux battants le nouvel horizon
tu rends le sage dément
souveraine des draps blancs comme le pain du désir

Renaissance

J'ai coupé les filets du fantôme qui me tinrent si longtemps
     prisonnier
une flamme illumina la nuit puis s'éteignit pour la levée de
     boucliers de l'aurore
toutes celles qui hantèrent le sommeil de l'adolescent
     sont venues une à une déposer leurs armes au pas de la
     porte
et la haute vague d'ombre les a emportées à jamais aux
     fonds des mers où elles reposent parmi les coraux
     qui s'ouvrent comme des roses la danse rutilante
     des poissons les débris féériques des navires l'opulence
     dérisoire des sables
toi qui donnes un visage à l'amour
je t'ai prise à l'âge où l'on aime pour soi-même
le flux des luttes quotidiennes dentelé de l'écume sans
     cesse renaissante de l'espoir nous a fait gravir
     soudain la montagne
ô surprise enfantine de tes yeux comme au temps ébloui
     des lagos
     nous y avons découvert des coquillages
mais aussi la clef de voûte du mystérieux édifice dont
     l'une des fenêtres nous avait cligné de l'oeil
j'ai battu le rappel des communards de Paris des survivants de la
     guerre d'Espagne des vétérans de la longue marche des
     soldats de la Colonne d'espérance des derniers cacos
     machettes au clair de tous les nègres marrons des îles de
     tous les mineurs du globe de tous les porteurs d'étendards
     embrasés
le moulin de l'oppression a broyé votre courage
et la bagasse de votre fatigue alimente l'usine dont la
     cheminée crache la fumée de vos rêves
si brûlés par le sel de la douleur
me rendras-tu les raisins de la vie moins amers
dans les cendres de la résignation il suffit que rougeoie

la petite lueur bleue d'une braise
pour que l'épouvante secoue les vieux arbres condamnés
tambours et lambis ont mêlé leurs voix d'angoisse de
    désespoir
    de refus de mourir pour le coumbite des
    camarades du
    soleil qui dispersera de ses lanières étincelantes
    les chevaux hagards de la nuit
un sang nouveau charrie dans nos veines la sarabande des
    revendications populaires
mon désir de toi a bandé comme un arc
la source a trouvé le chemin de la grève
par les mille détours des mornes et des sous-bois des galets
    et des plaines de la pluie et du fleuve
désormais c'est toi qui m'ouvres la barrière ouvragée des
    verdures
et sur un monde qui meurt l'aube bat des ailes comme une
    colombe

la porte ouverte

le glaive de feu a transpercé la nuit
et celui qui vient du coeur ténébreux de la terre
écarte doucement le lourd rideau des ombres
la lumière se lève comme l'herbe dans les prés
tu secoues de tes mains la rosée de l'espoir
je te demande pardon pour le temps de recherche
et pardon pour l'angoisse
pardon pour la douleur
j'ai vu Barcelone debout dans sa misère comme une colonne
Haïti émergeant de la fournaise de Paris
l'Afrique fustigeant les seigneurs de la trique
Moscou qui ne se mettra jamais à genoux
Pékin donnant la main à son frère Berlin
et Rome demain libre domaine des hommes
je sais que tu t'exaltes si je brise mes chaînes
c'est dans le désespoir que je t'ai reconnue
mais quand viendra la joie
nous n'aurons pas peur d'être nus
le vent sculpte ton visage que l'avenir enchâsse dans la niche
       du souvenir
glaise magique
seul or sensible aux doigts de mon désir
fleur des galets que la mer entasse pour compter les heures
toi qui connais les mots qui font grincer sur ses gonds et
       s'ouvrir toute grande la porte des horizons
mon rêve a pris racine dans le sol du réel
et ma voix pour t'aimer parle à l'univers

le fil des jours

nous avons bâti un beau château de verre
et les vagues de la mer mourant à ses pieds
lui faisaient ce chant de cristal
des rêves de l'enfance et des jeux primitifs

unis sur le coursier affolé de l'amour
nous avons entrepris une course sur la grève
à l'heure où montaient la lune et la marrée
nous fûmes emportés

dans ma maison réelle
la pendule s'est arrêtée sur douze
qui voulez-vous pour la remonter
est-ce ça est-ce ça

ton image s'est effacée

chaque âge porte sa misère
je revois le visage de ma mère
son regard me fait mal
qui ne sait plus sur quelle branche se poser

la flamme s'est cassée à même la racine
cette voix qui vacille
sa lèvre au sourire poignardé
escarbille escarbille

et puis toi

ils n'ont pas fini de t'enfoncer la couteau dans la gorge
pas fini de tirer sur la corde de ta patience
pas fini de dépouiller la nudité de tes arbres
ils saccagent l'arène pour que règne la boucherie

j'invoque la souveraine des temps de clarté
je t'invoque je t'invoque
toi qui fus en Mars celle qui m'a délivré
tu maintins le courage à hauteur du silence

je nomme la charmeuse du serpent de douleur
et l'épée flamboyante en main
l'ange qui interdit au malheur
la porte de demain

mon fils est né avec le jour

aujourd'hui

entre les épis du malheur
le bras ouverts
tu avances

danseuse des cordes raides
une jambe en l'air
le vent de la terre te porte

le temps de mon amour
accueille ton visage
si le clos de l'espoir
protège ce désir

dans l'ombre de mes paupières
l'attente mûrit comme une mangue
le feu de ton corps
éclaire la chambre

le peuple dans les rues
mon fusil à l'épaule
où prends-tu le courage
de regarder ailleurs

l'hirondelle fuit l'Amérique
l'art est notre flambeau
Harlem dis ton mot

le jour meurt sans pain
et la lampe tarit l'huile
chaque nuit cache un homme

petit testament

mon amour
tu vins au moment où j'abattais la dernière idole
la brousse du désespoir était dans ce regard
où mon image demeure à jamais mutilée
l'ange de la douleur est beau comme le danger
tu es le miracle de l'eau au désert de la soif
et ton ventre le diadème d'un empire retrouvé
j'ai vécu dans la seule espérance des hommes
qui secouent aujourd'hui pour que naisse demain
un jour je prendrai la tête des miens
pour forger le bonheur aux armes de la misère
les souris de l'angoisse grignotent les nuits d'attente
des mains noires déploient l'étendard de l'aube
la terre sera enfin à qui l'aura remuée
un enfant est devenu le centre de la vie
je veux comparaître à son tribunal
et qu'il dise
tu fus un homme

colloque familial

maman est entrée en moi comme un couteau
maman du temps le plus reculé
où mes prunelles ne gardaient d'image que la tienne

maman non pas du bout des lèvres
mais des entrailles
comme si j'enfantais

et le viel arbre secoué par la tempête
il nous a donné tous ses fruits
son dénouement nous féconde

mon amour ma dernière saison
prépare-toi à la grande épreuve
maintenant ou jamais

il faut apprendre à vivre
devant le miroir de nos enfants
mes juges les plus sévères

demain

avec au dos le poids de mon passé
je marche dans les champs ravagés du présent
vers l'homme que je serai

sous les sabots du réel
je te vois
suspendue aux ficelles des rêves

l'araignée de l'imagination
dessine le pont du désir

l'épée ouvre l'amande de l'innocence
la couleuvre de l'arc-en-ciel
marque la fin de l'orage

sur les plages du vent
une femme qui porte ton visage
souffle dans la coquille des mers

l'aube se lève
dans le regard de nos enfants

absence

l'ombre s'affole
le lit a perdu la mémoire
l'amour est sans boussole

dans la chambre du mage
ton reflet cherche encore
à réintégrer ton corps

la nacelle des rêves a pris feu
je vis d'une image
prisonnière du miroir

(1961)

tam-tam d'Haïti*

le jour frappant la nuit à mort
transperçant de son dard de lumière
le corps femelle de la nuit
tam-tam
maquisard magique
ouvre la vanne de l'espoir

le jour clignant son oeil aux longs cils
le jour ouvrant son oeil sans paupière
tam-tam
mon plus bel incendiaire
jusque dans le désert de l'exil
tu rythmes nos combats

tam-tam
filon inépuisable de la mine populaire
fleuve dont la colère trouve enfin le chemin de la mer
tu brises les verrous de la peur
tu éclates les écluses du silence
pour dire seul la honte et la misère

tam-tam
leader lyrique du grand coumbite solaire
ton chant assemble les soldats de la liberté
qui font sauter les ponts du passé
et les paysans plantant dans la rosée
les arbres de la vie nouvelle

---

* Nouvelle version du "Nouveau Tam-Tam", publiée dans *Réalités Haïtiennes* sous le titre de "Tam-Tam de l'Exil".

carrousel

hors l'axe de la roue imaginaire
qui fait tourner ta jambe nue
autour de tes images superposées

la gerbe folle de ton corps

de la rose des seins
à l'étoile du sexe

s'offre à l'avancée des bras
d'où fusent les rayons noirs
qui traversent la nuit

(1973)

nuit et jour

nous venons de plus loin que l'ombre
pour dire
le grand pré de la nuit
la peur du paysan seul dans la savane
avec la plainte de l'igname
comme un homme vivant qu'on enterre

ouvre-moi
maître des carrefours
ouvre-moi la barrière

l'immense palais de glace de la pluie
que le soleil irise et brise de ses feux
la petite négresse les genoux dans l'eau
et elle se voile le sexe
de ses mains ramenées l'une sur l'autre

cache-cache-le bien
serre-le bien

la poussière de désolation des plaines
la calvitie des mornes aux poitrails décharnés
la misère tissant les nattes de l'ignorance
le lumignon de l'espoir dans les cases de la détresse

nous venons de plus loin que l'ombre
et le volcan de nos voix implacables
crève terre et ciel
libérant mille lustres de clarté pour la route commune
mille bêtes sauvages buvant à la source qui les rend amies
mille fleurs d'étoiles de peau de serpent de diamants durs
et noirs comme la première nuit d'amour

et dresse l'arc-en-ciel des peuples camarades

*Camourade**

---

* C'est ainsi que mon père appelait mon frère Franck quand il était enfant. Il fallait sauver ce mot de l'oubli car il réunit ce qui m'est le plus cher au monde: amour et camarade.

Les femmes les enfants ont le même trésor
De feuilles vertes de printemps et de
lait pur
Et de durée
Dans leurs yeux purs

Les femmes les enfants ont le même trésor
Dans les yeux
Les hommes le défendent comme ils peuvent

Paul Eluard

(Cours Naturel)

poème pour la paix

À Anthony Lespès

dans la nuit il y a une fille qui chante
le tambour des combats mêle sa voix à l'amour
et l'espoir rompt les mailles de l'angoisse
une lueur précède notre marche
elle vient d'Orient
où des soldats sous la mitraille traversent un fleuve à la nage
elle vient de l'Occident
une femme s'est couchée sur les rails de la mort
pour que le train de la guerre ne puisse plus avancer
je ne doute pas de toi Afrique
déjà l'Asie secoue les haillons de sa torpeur
et Wall Street a la couleur blanche de la peur

dans la rue il y a une fille qui chante
entrecoupé de cauchemars
ton sommeil est plus que centenaire
tu es bon juste assez
pour ne pas trépasser
juste assez
pour faire pousser les petites fèves rouges du caféier
le café est noir et amer comme ta vie
le tafia à l'église et aux loas s'allie
la pite devient la corde qui te lie

le long serpent de la misère
tourne contre soi son dard
tu ne sais quoi faire de cette colère
ce levain comme du fiel à la gorge
cette eau mauvaise prête à déborder ses rives

droites comme la tige des bambous
et souples comme les lianes du désir
des femmes vont au marché leurs paniers sur la tête
les hommes s'inclinent vers la terre

ta silhouette a coupé le fil de mon regard
ce n'est pas pour moi ce jour
où l'amande de tes yeux s'ouvrira à l'amour
tu laisses dans la poussière la sandale de tes pas

entre l'opulence des neiges que la voix de Neruda couvre des
               vignes d'une prodigieuse aventure
et la fleur tropicale qui éclate dans les poèmes de Dépestre
Guillén ton vers est une danse populaire
une métisse y profile le rythme de ses hanches
dans le vert ondoiement des feuilles de cannes à sucre
soudain comme des têtes fauchées à la machette
mon pays mon peuple indolent et terrible
je veux que ma poésie te frappe au coeur
comme la lance d'amour plantée au sein d'une vierge
et elle défait le noeud de ses cuisses sans le vouloir
tu te soulèves
tu montes comme le lait dans la casserole
le maïs dans la marmite
tu bondis comme la flamme au-dessus du brasier
tu t'agites agite-toi
et tournes tes grandes fesses noires dans la danse des carnages
le vent de toutes les folies dans ton sang
aveugle comme le sexe de l'homme que le désir gonfle
mais quand tu sauras le sens de ton destin
au Bel-Air à midi il y a une fille qui chante
quand luira enfin le soleil de la lucidité
alors alors
camarades serrons-nous les reins
tu durciras à n'être point brisé
glaive sûr du jour nouveau chargé des flamboyants de l'aurore

bonjour Corée
voici Haïti qui te dit bonjour
et à demain

(1953)

L'autre rive

Pour Athéna

Parler d'amour c'est parler d'elle
Et parler d'elle c'est toute la musique
Et ce sont les jardins interdits

Aragon

De *l'autre rive*
Je crie vers mon destin
Le fantôme possible de l'impossible moi
Se meut
Dans l'ombre lumineuse de toi
J'emplis ta vie jusqu'au bord
Chaque minute est un décret du sort
Plus se perd ma voix
Plus se précise la douloureuse vision
Moins je suis sauvé de notre amour

*

La *vue de la bien-aimée*
A réveillé le mort
Je suis apparu
Face à moi-même
Lazarre douloureux
Nu
Chargé de chaînes

*

Ô *solitude d'aimer*
Face à l'impossible don
Si mon bras t'entoure dans la danse
Fou je te possède

Rivé à toi pour l'éternité

Là-bas
A tous vents livré
Image hallucinante
Prométhée

*

*T*on amour coule en moi*
Comme une clarté
Devant l'arche miraculeuse
Toi de chair et tout immatérielle
Je suis David
Immarcessible
Dans l'offrande rituelle des danses

(1945)

Le poète et la ville

la Voldrogue roulant sur son char de pierres
la Grand'Anse crevant ses outres gonflées
jusqu'à la détruire faisant vibrer la harpe du vieux pont
sans attelages
la mer cabrant ses chevaux ruisselants
et comme une femme au sommeil étend son bras gauche
la Pointe qui avance dans les flots couronnés

toi dont le chant berça nos rêves les plus verts
et si tu t'en abstiens me voues à l'insomnie
insoucieuse du malheur
tu livres tes goélettes au baiser fou des vents
et guirlandes d'écume le flanc de tes épaves
j'entre par la cheminée engloutie
et découvre tes trésors sous les varechs enfouis

donne-moi ta rumeur
le charme qui embue le miroir du passé
une fillette dévêtue se penche comme une tige
la flèche du désir a transpercé la cible
donne-moi le vertige
que ton souffle soulève les ailes de mes vers
donne-moi ta colère

dressée sur une tour de verdure
(ô Bordes plus fraîche que toutes les voiles larguées)
mon enfance en partance vers des rives nouvelles

(9 avril 1952)

*le nouveau tam-tam**

à Franck Fouché
pour son "Prométhée"

le jour frappant la nuit à mort
transperçant de son dard de lumière
le corps femelle de la nuit
tam-tam
maquisard magique
tu ouvres la vanne de l'aube

le jour clignant son oeil aux longs cils
le jour ouvrant son oeil sans paupière
tam-tam
debout dans le midi de son désir
tu verses la flamme de ton clairin
dans les flancs de la femme fertile

tam-tam
mon plus bel incendiaire
des côtes africaines aux rives antillaises (et l'imaginaire
        voyage du retour)
de l'horreur coloniale à l'aurore insurrectionnelle
du seul éclair de la houe à la clarté collective du tracteur
tu rythmes nos combats

tam-tam
filon inépuisable de la mine populaire
ta voix volcanique galope de morne en morne
entre les ravins de l'angoisse et les premiers sillons de l'espoir

et sur les remparts de la nuit
nos brasiers montent le siège de chaque village

---

* Version originale de "Tam-Tam de l'Exil"

tam-tam
fleuve dont la colère trouve enfin le chemin de la mer
tu brises les verrous de la peur
tu fais sauter les écluses du silence
pour dire seul la honte et la misère
tam-tam
leader lyrique du grand coumbite solaire
ton chant assemble les matériaux de la cité
les travailleurs plantant d'une main égale
les piquets de grève
et les arbres de la vie nouvelle

(1956?)

Le galet

dans les galets du jour
coule l'eau de mon amour

sous le cristal de ta lumière
croît l'herbe de mon malheur
et je tourne en tous sens
dans le cercle enflammé de ton absence

à chaque carrefour
j'abandonne mon ombre
pour que dans la rose des rues
s'édifie
la parole comme ta gorge
nue

il n'y a pas de château dans le lac
la fée a déserté le miroir
j'ai vécu de t'aimer
et renais sauvé de ta mémoire

sous l'eau des jours
dort le galet de mon amour

La chasse

fermant l'oeil gauche
l'enfant prit un masque d'homme

il étira la fustibale à longueur de bras
la pierre partit

l'oiseau

tomba

l'homme reprit son visage d'enfant

poème pour toi

dans mes deux mains
je tiens le livre de la vie de Jacques Roumain
ton souffle soulève tes seins
C'est ta beauté qui bouge
et c'est le douloureux espoir humain
qui de l'enfer d'aujourd'hui sauve demain
Je songe je songe à Guernica
je t'enlace je t'enlace
et que demeure la voix de Lorca
le vent à perdre haleine s'étend sur la mer

droite comme l'épée de la lucidité
ô poésie folle de toutes les jungles traversées
l'ombre s'épouvante de la torche de Césaire
et la parole de Paul Eluard
tranchant le noeud du mal
confère à la dignité de l'art
l'évidence du cristal

je te mêle à ce qui m'est cher
tu es le sang dans la chair
tu t'attristes et souris dans les yeux des paysans
et ils sont l'oxygène de l'air
quand ton regard porte la lumière
de nos plus grands ciels d'été

je pense à l'homme que j'ai été
les vagues de la vie l'ont emporté
je renais à la racine de ton désir
ne dis pas que je délire
nous passerons la frontière mandchoue
que ce soit au Viet-Nam ou au Congo
à Madrid ou à Santo-Domingo
que ce soit à Harlem ou au Cap-Haïtien

partout où la douleur comme un levain
fait gonfler notre colère
ah tonnerre de tonnerre
nous porterons la hache et le flambeau

ta lèvre est ma blessure
c'est le rouge de la première aurore
où agonisent les marchands d'or
le sang du peuple doucement bout
comme le coeur de l'eau à sa source
mais quand viendra le fleuve
rien n'arrêtera la marche des prolétaires
un soleil nouveau éclaire la terre

Le vif du sujet

Une femme accroupie près du feu
la pipe à la bouche
un lézard se chauffant au soleil de la route
un enfant debout dans la poussière des jours
un peuple pris dans les ronces du malheur
une nuit qui se poursuit jusqu'à la nuit nouvelle
toutes griffes dehors
la misère gratte la terre
et les hommes

une seule voie

à la mémoire de Jacques Roumain

tu me dis liberté
je vois coopératives et charrues
usines et syndicats ouvriers
l'eau qui coule dans les champs
le peuple gagnant les rues
des écoles pour nos enfants

je vois la ville tendre au village
un bras nu comme un visage
une à une
les campagnes s'allument
et ça fait un collier de clarté
au pays que Jean-Jacques nous a donné

le Pont-rouge mène à la croix de Péralte
le Parti en assume le sanglant héritage
à de durs combats Haïti convie notre âge
ô mes vieux ennemis
les grains de vos jours sont comptés
nos revendications montent comme des épis

je te salue Maïakovski
mon chant n'était qu'un cri
si le coeur d'une femme s'éclaire
l'esprit brisera les chaînes du mystère
ses yeux ont la couleur des blés
mais sa chair la chaleur des étés

j'ai retrouvé l'amour sans vertige
il s'élance droit comme une tige
déchirant les ombres qui nous assaillent
quand luit enfin le soleil du désir

mon nom jaillit de tes entrailles
il n'est point de bonheur qui n'ouvre les fenêtres

je te dis liberté
et c'est un mot de paix
c'est un mot comme tracteur barrage engrais
je t'amène par la main aux sources de la vie
voici des peuples la grande assemblée
pour la récolte dans la rosée

Don Quichotte

à Franck Vilaire
pour sa fidélité à ce poème

Personne n'aura jamais été plus fidèle à son nom que toi
chevalier à la rayonnante figure
barbu de légende soudain projeté dans l'histoire
ni plus fidèle
à la flamme folle de la raison populaire
et à cette Amérique enfin
dont tu dessines le nouveau visage

grand pourfendeur de moulins à broyer quelque chose
à broyer de la canne
et le coupeur de canne avec
à broyer les produits du labeur
et les producteurs avec
à broyer la force de travail de l'homme
et l'homme avec

ton nom vole sur toutes les lèvres qui disent non
il se lit dans les yeux des enfants
et s'insinue dans le silence des amants
fer de lance de la révolution
ton nom castre l'exploitation
courage d'un peuple et gloire d'une nation
il devient l'espoir d'un continent

Port-au-Prince, 1960

Le noir et le rouge *

à Jean F. Brierre
Sur un vers de Césaire

nous qui n'avons vécu que dans la brousse de l'enfance
nous qui n'avons mangé que le pain de l'ignorance
nous qui montons à genoux les marches du temps
nous pour qui la terre n'a pas de printemps
Nous nous levons
et notre danse
c'est le secret des germinations
le carrefour des quatre éléments

quand notre chant brise les barreaux blancs du silence
le cristal de ma voix célébrant ta présence
l'univers est pris de vertige
les arbres tournent leurs feuillages de verre
les fleuves sautent par-dessus la mer
les étoiles ont retrouvé leurs tiges

je découvre la clef des vents
de ma boussole ta chair est l'aimant
il n'est plus temps que je meure
tes seins sont les raisins de la lumière
notre rire a chassé la vieille peur
un sang neuf coule dans les veines de la terre

L'aube bouge
où toutes les torches noires seront des torches rouges

---

* Nouvelle version de "Paroles Nègres".

Transmutation

Contre ton corps bercé dans le hamac des vagues
le vertige m'emporte loin des rives quotidiennes
et ta jambe qui traverse le miroir enchanté
j'épuise mon désir à en mouler la forme
si réelle
que l'oiseau fou du rêve
tente de nicher dans la bruyère enflammée

quand s'ouvre la boîte à surprise de l'horizon
je te découvre de l'autre côté
la mer tisse le collier fragile des coquillages
les feuilles s'écartent pour que naisse ton visage
tes yeux conspirent à rendre le jour plus beau
nous défendons ensemble le droit d'imaginer
la chimie à tes lèvres prend un goût de baiser

parle-moi de tes raisons de vivre
le sein percé de la flèche miraculeuse
plonge jusqu'à la racine de ta douleur
remonte la sève de ta colère
pour qu'au midi de la liberté
se multiplie la céréale de l'amour
demeure la femme qui me fasse rêver

La croix de Guevara

Christ né dans la pampa
Christ fêlé du Guatémala
Christ de la guérilla
Christ vengeur qui chassa les voleurs du temple de Cuba
Christ crucifié en Bolivie
et qui en nous vit
pour la vie
Christ de la liberté
Christ des paysans
et des ouvriers
la balle au coeur
Christ des combattants
les hommes sont ce qu'ils font
et quand tu meurs
nous ressuscitons

La maison hantée

ton ombre hante le jour et la nuit
née de la lumière du jour
qu'elle traverse
comme un miroir
elle devient le fantôme de la nuit
qu'elle transforme
en royaume du cauchemar

jouet détraqué
dont les sorciers fous
tirent les ficelles folles

dessin animé
qui enjambe l'écran
des rêves
pour déambuler
comme un homme ivre
dans les sombres ruelles
de notre vie

ton ombre hante le jour et la nuit
confondue par les feux du jour
elle est devenue la proie de la nuit

(25 décembre 1974)

Il est des mots*

à *Angela Davis actuellement*
en jugement pour le double crime
d'être communiste et noire.

il est des mots qui brûlent
comme des torches dans la forêt de la nuit
il est des mots qui font passer les rivières à gué
il est des mots qui ouvrent les portes de l'histoire
comme une clé
il est des mots qui bandent l'arc de la révolution
et arment les peuples des flèches de la victoire

il est des mots doux à nos lèvres
comme une bouche de femme
et qui frappent au coeur comme la lance d'amour
Christ blanc ou Vierge noire
les bourreaux s'acharnent à dresser ta croix
ils veulent couper la rose de l'espoir
mais ils ne peuvent éteindre le buisson de ta voix

il est des mots
qui guérissent les maux
que nous font les autres mots
il est des mots
tranchants comme de couteaux
seule l'action réalise les rêves de la poésie
et désormais par toi la vraie vie est ici

---

* Poème publié dans *Réalités Haïtiennes* sous le pseudonyme
d'Esperanza, avec la note suivante:
"Ce mot signifie 'espoir'. Dans la grande épopée de notre siècle, il dit ce
qui unit tous les peuples de la terre et, en particulier, les pays de
l'Amérique latine et caraïbéenne dont Haïti fait partie"

Ballade de l'exil

C'est un dur métier que l'exil
Nazim Hikmet

Pour nos enfants

homme de neige
et de fleurs
vivant selon l'instant
et jouant sur le temps
homme de toutes les saisons
et surtout du printemps
et d'herbe verte
comme l'enfance
ou la terre natale
ou le désir qui fait flamber l'amour
comme le four
où cuit le pain du jour
homme de neige
et de fleurs
l'exil est ta prison

femme-enfant
femme de tête et de coeur
ange gardien des invalides
petite fée des laboratoires
princesse du royaume des livres
femme libre des temps nouveaux
fille de la légende
qui enfante l'histoire
enfant de l'espoir
enfant que l'amour invente
différente
mais souveraine de toi-même

femme-enfant
femme de tête et de coeur
l'exil est ta prison

Christ entouré d'enfants noirs
tu te donnes sans retour
prophète exclusif de la race
tu sépares la communauté de la misère
et bâtis les châteaux de l'amour
sur le sable de la haine
toi qui marchais à mes côtés
sur les eaux calmes de la bonté
aujourd'hui laboureur des hautes mers
coiffé de ta couronne d'éclairs
tu cours à bout de souffle
sur la crête de la tempête
Christ entouré d'enfants noirs
tu te donnes sans retour
l'exil est ta prison

fille de haute lignée
dont la mère aus yeux verts comme la mer
a toujours gardé son regard de clarté
épouse prise dans les flammes du désir
épouse aux doigts de fée
mère transfigurée par le feu de l'amour
mère miraculeuse
tu donnas la vie
aux trois que voilà
et redonnas la vie
à celui-là
qui pour la vie t'aimera
pris dans les flammes de la douleur
transfigurés par la lumière de l'amour
l'exil est notre prison

envoi

Peuple empêtré dans ta légende
et pour qui nous connaissons
les barbelés du racisme blanc
dans la chair de nos enfants
d'hier à demain peuple de la révolution
sauve-nous de la barbarie
et que s'ouvrent les portes de la patrie

New York, janvier 1975

Le règne de l'homme

tu dis démocratie
et nous savons que c'est étain de Bolivie
cuivre du Chili
pétrole du Vénézuela
sucre de Cuba
matières premières et profits

tu dis démocratie
et c'est l'annexion du Texas
le hold-up du Canal de Panama
l'Occupation d'Haïti
la colonisation de Puerto-Rico
le bombardement du Guatémala

tu dis démocratie
et c'est l'Amérique aux Yanquis
c'est le viol des nations
c'est le sang de Sandino
et de Péralte la crucifixion

tu dis démocratie
et de nos richesses c'est le pillage
de Hiroshima à l'Indochine
tu sèmes partout le carnage
et partout la ruine

tu dis démocratie
et c'est le Ku Klux Klan
ô peuple masqué
jusque dans tes cités
ogre dévorant ses enfants

Ubu de l'empire de robots
tu as beau lâcher tes corbeaux

de Harlem à Jérusalem
de Wounded Knee à Haïti
de Santo Domingo à Soweto
les peuples brandiront
les flambeaux de la révolution

la nuit est tunnel qui débouche sur l'aube
le Viet-Nam debout comme un arbre dans la tempête
est la borne qui indique le lieu de ta défaite
les sentences de l'Histoire sont sans appel
toujours à l'Afrique l'Asie tend une passerelle
le règne de l'homme blanc a pris fin sur la terre
et commence le règne de l'homme sur l'univers

Poésie quotidienne

(Prix Casa de las Americas, 1979, La Havane)

Il y aura toujours une pelle au vent dans les sables du rêve

André Breton

Expérience poétique

La poésie nous est d'abord donnée. Puis, il faut la mériter.

Un jour, l'idée m'est venue d'écrire un poème ou tout au moins un vers chaque jour, à l'aube, entre sommeil et réveil. A ce moment privilégié, les images s'offrent à profusion et se perdent de même, faute d'être prises dans le filet de la mémoire. Il s'agit donc de les capter à la source; mais ce n'est pas un retour pur et simple à l'écriture automatique.

Ce que le rêve fournit ici, c'est la matière brute de la poésie et, tel l'orfèvre africain de *L'enfant noir*, le poète doit transformer le travail de l'or en opération magique. C'est dans cette perspective que ce livre s'est écrit. C'est une preuve nouvelle que l'inspiration ne tarit pas si l'on sait prêter oreille à ce que Césaire appelle le *murmure intérieur* et, en particulier, à ces phrases qui, comme dit Breton, *cognent à la vitre*.

Pourtant, après l'émerveillement des premiers temps, cela tend à devenir une routine plutôt qu'une surprise, une discipline plutôt qu'un désir, un exercice de l'esprit plutôt que l'exercice de la liberté. La magie se change en art au lieu que l'art se change en magie et, à la fin, c'est l'art même qui risque de faire place au seul métier.

Il fallait arrêter l'expérience et, tout en gardant le pouvoir de l'éveiller, laisser à la poésie toute licence de se manifester à son heure. Les mots alors "font l'amour" quand ça leur chante.

En fin de compte, cette voix qui vient du fond de nous ne

révèle que nous et le monde extérieur tel qu'il se reflète et se transforme en nous: le monde de l'enfance, paradis perdu qui ne peut se recréer que dans notre oeuvre et le monde des hommes, monde du présent et de l'avenir, monde de la lutte et de l'espoir, monde où l'exploitation et l'oppression auront été abolies, monde où "le saut du règne de la nécessité au règne de la liberté" aura été accompli, monde de l'amour et de la poésie, en un mot, la terre promise que seule la révolution fera passer du rêve à la vie.

Poésie est dialectique. Contradiction elle-même, elle vise à la résolution de toute contradiction. Quand l'histoire pose à un peuple la question de vie ou de mort, il est naturel que la poésie devienne arme quotidienne; le miracle est que la vie même devienne poésie quotidienne.

New York, décembre 1975

P. L.

Merveille de l'aube
ou l'aube vermeille

le rideau des fleurs a dévoré le château de la nuit
et le serpent du rêve se glisse dans ton réveil

le vent des mers a levé le poisson
il coupe la chair virginale de l'eau
et son invisible aiguille lui fait une invisible couture

à travers l'herbe folle des étreintes
les lianes des bras
la tige de ta jambe
et le pistil des seins
l'antre de désir s'ouvre
au couteau de lumière

les vignes de l'aurore ont marqué ton talon
qui se perd dans ma main
comme mon sexe dans le tien

le cheval du jour se cabre dans le ciel
le rideau des fleurs a incendié la forêt de l'amour

27-9-75

La femme-enfant

la rose des savanes
l'alcool des caresses
le tigre de la montagne

l'enfant s'est figée au milieu de la place

la montagne des roses
la savane de l'alcool
le tigre des caresses

l'enfant a ouvert ses paupières de pierre

la cascade des rires
la source des larmes
l'orage du jeune amour

la statue a marché sur la vague des rêves

le rire des cascades
les perles de la source
l'amour du jeune orage

la statue s'est dévêtue au milieu de la rue

toutes les fleurs des bêtes sauvages
toutes les bêtes sauvages des fleurs
toute la lumière au coeur

la femme s'est levée au coeur de la lumière

28-9-75

l'étoile de la vie
luit
dans le trou bleu de la mort

29 -9

*

La lagune de tes yeux a mis feu à la forêt des rêves
La forêt des rêves a mis feu à la lagune de tes yeux
La lagune des rêves a mis feu à la forêt de tes yeux
La forêt de tes yeux a mis feu à la lagune des rêves

30 -9

*

L'arc que trace dans l'air
l'oiseau fou du désir
lance la flèche de l'éclair
qui libère soudain
les gazelles jumelles de tes seins
buvant à la source miraculeuse de l'amour

J'ai à l'oeil
l'écureuil du sexe
et sa fourrure
toison de toutes les saisons
chat chatoyant de rosée
écureuil du jour
grimpant l'arbre de la nuit
écureuil de la nuit
traversant le miroir du jour

1 -10

à travers la vitre de la mémoire
la grenade des tropiques éclate
la lumière se fait sorcière

les gratte-ciel devenus palmiers
l'enfance déploie l'éventail de ses couleurs
les vagues se changent en baigneuses
et les fillettes nues en rivières

2-10

*

Le nageur noir traverse les profondeurs bleues
des jardins sous-marins du rêve mais les guerriers
qui protègent l'entrée du royaume de guinée le renvoient
au pays des zombis où les chacals de la mort dévorent les
entrailles d'une femme famélique aux rythmes des tambours de
carnaval et des danses lubriques de Baron samedi jetant au feu le
sel de la vie

3-10

Au moulin des rêves

Je mêle ton corps et la flamme
Je mêle ton corps et l'eau
Je mêle ton corps et l'oiseau
Je mêle ton corps et mon âme

Je mêle ton corps et la fleur
dans l'herbe folle du malheur
la panthère du désir bondit
Je mêle ton corps et la folie

Je mêle ton corps et la mer
Je mêle ton corps et les étoiles
Je mêle ton corps et le vertige des voiles
Je même ton corps et la lumière

Je mêle ton corps et l'arc-en-ciel
l'arc du ciel
la flèche de l'orage
Je mêle ton corps et l'orage

Je mêle ton corps et la pluie
Je mêle ton corps et le soleil
Je mêle ton corps et la nuit
Je mêle ton corps et le réveil

Je mêle ton corps et le temps
le temps qu'il fait
le temps d'aimer
Je mêle ton corps et le printemps

Je mêle ton corps et la sève

Je mêle ton corps et le rêve
Je mêle ton corps et la poésie
Je mêle ton corps et mon pays

4 -10 -75

*

Découverte du dimanche

doux délire de la tourterelle de tes dents
becquetant des baisers sur ma bouche

danse au milieu du buisson des désirs
qui s'éclaire de la seule lumière de ton corps

dors parmi les feux de Bengale de l'eau qui prolonge
tes jambes allongées dans les flots de mon sommeil

dédale où errent les mains jusqu'à la rose qui couvre
le noeud ardent du sexe

dimanche de silence dont les mailles se rompent
au lâcher des oiseaux du rêve

désordre des sens

dire tout le mystère ou se taire

5 -10 -75

Le caïman étoilé[1] nage dans nos eaux il nage
dans toutes les eaux du monde

le caïman étoilé mange nos enfants il mange
tous les enfants du monde

tous les peuples du monde donnons la chasse
au caïman

dont les étoiles se détachent comme des fleurs
de l'arbre de son corps

nos flèches atteignent les étoiles mortes de
ses yeux

toutes les flèches du désespoir toutes les flèches
de l'espoir atteignent le mollusque blanc de ses
mâchoires de fer ouvertes comme une menace sur le bleu
infini de l'univers

6-10

---

1 – *Le caïman étoilé*, titre d'un recueil de poèmes d'Émile Roumer, par lequel il désigne les États-Unis ou l'impérialisme yankee.

le fouet de la misère
lacère
la chair
et l'esprit
de tout un peuple pris
dans les halliers de la nuit

7-10

*

la grenade de ton rire éclate
fleur de sang
au visage de ta Grenade de lumière

Espagne des rêves de l'adolescent
où pousse la première tête de l'hydre de la guerre
où le blé en herbe de la révolte est fauché
où ce qui reste de toi Liberté
parmi les ailes blessées des drapeaux noirs
qui ne cesseront de chanter ton nom
c'est la flamme d'une voix de femme
rose rouge de la passion
oiseau bleu de l'espoir

châteaux en Espagne des rêves de l'adolescent
ô fleurs de sang
dans les champs verts de la révolution

8-10

assis sur leurs queues dans la charogne familière
les chiens aboient au passage de la beauté

sur les ruines du fascisme à la mode de chez nous
la question de couleur renaît de ses cendres

la petite-bourgeoisie se mord le cul

dans le concert des serpents par leur roi orchestré
la couleuvre verte de la trahison dresse une tête aux
changeantes couleurs

jaune ou noire

jaune et noire

mais de tous côtés se lèvent les boucliers
et demain les machettes bleues
pour sauver la rosée de l'espoir

9-10

Jérémie remonte des eaux
à mi-jambes dans la mer
chevelure bruyante d'oiseaux
visage marqué de taches de rousseur
fille de sel
adossé à l'arbre verdoyant
de l'adolescence éternelle

voiles au vent des rêves
chevaux galopants du désir
carrousel de l'amour
fillettes superposées
chacune devient visible
à travers la vitre de la vie
dont je remonte le cours
jusqu'à celle
qui efface tout ce qui n'est pas elle

10 -10

Évasion

l'aube a déchiré le voile de la nuit
l'aurore met une vitre rouge
à la fenêtre du jour

sur le chemin de la vie
rivée à moi par les pieds
mon ombre me suit

au bout de son invisible laisse
elle peut marcher à mes côtés
et même parfois me précéder

s'échappant de sa cage de clarté
mon ombre traverse le miroir de l'ombre
et se change en oiseau noir de la liberté

11-10-75

L'arbre du paradis

l'enfant sage terrible est devenu
il secoue l'arbre des merveilles de l'inconnu
et il en tombe tous les fruits défendus

une femme nue dans la chambre nuptiale
et son mari a soudain disparu

une baigneuse dont le corps se voit à travers l'eau
où s'égrènent les perles de son rire moqueur

une danseuse prise au vertige de la danse
et qui ferme les yeux quand je lui parle d'amour

une gamine aux seins naissants qui dort avec moi
du sommeil des amants qu'agitent la fièvre érotique
et le frisson de la peur

une fille folle d'amour et que j'essaie d'attraper
sur le sentier qui serpente comme le serpent du désir
dans la forêt enchantée

12 -10 -75

*l*a maîtresse de l'eau
ouvre son château englouti
aux poissons volants
et aux vierges noires des mystères

la maîtresse de l'eau
aux oiseaux de la folie
et aux poètes voyants
ouvre son château de verre

13-10

*

l'odeur profonde des mers
que découvre ma flibuste
renaît dans tes cheveux

j'y plonge à m'y perdre
ou à déployer dans tes yeux
l'imagerie éblouie du bonheur

la bride sur le cou
comme un arc-en-ciel
au cou du ciel
dévalant les gorges de la nuit
avec le licol des cascades
comme un collier à un long col de femme
la poésie court dans les vertes prairies du jour
où se lève l'herbe droite de l'amour

14-10

Vivandière de l'exil
il faut affiler les couteaux

un bateau dans la ville
cherche sa cheminée

ensemble nous marcherons sur les eaux
le poisson sera partagé

15 -10

*

À l'affût de la voix
qui parle en moi
chasseur de mots
je guette les images
bêtes sauvages
surgissant des eaux
et je tire au vol
les oiseaux de la parole
qui repartent vivants
dans la lumière de mon chant

16-10

la déhiscence du jour
ou
le jour de déhiscence

la géométrie de la nuit
ou
la nuit de la géométrie

le noeud de la contradiction
ou
la contradiction du noeud

la fleur de la synthèse
ou
la synthèse de la fleur

la folie du désir
ou
le désir de la folie

la connaissance des sens
ou
le sens de la connaissance

l'amour de la liberté
ou
la liberté de l'amour

la révolution de la poésie
ou

la poésie de la révolution

les maux de la faim

ou

la fin des maux

la faim du mot

ou

le mot de la fin

17-10

Harlem

Les feux du passé et les feux de l'avenir
se mêlent dans le brasier ardent du présent
le cri de Harlem comme une flamme dans la nuit
le cri des ghettos
flèches de feu
traversant la capitale de la nuit
et la nuit du capital

sur le fumier du crime et de la misère
poussent les roses noires du désespoir
Harlem chante sa douleur
femme nue dans les flammes de la danse
Harlem nourrit le feu de sa colère
sur les cendres du racisme et de la peur
pousseront les roses bleues de l'espoir

l'incendie des gratte-ciel
feu du ciel
et flammes de l'enfer
dévore les nouvelles tours de Babel
ô cri de Harlem comme une flèche dans mon coeur
et tous les faux paradis
d'hier et d'aujourd'hui

18-10-75

Echo

le silence du jour
répond
à la nuit du silence

19 -10 -75

*

La femme de mes rêves
la femme de ma vie
entrent l'une dans l'autre
dans la nuit des rêves d'amour
et la vie de tous les jours
il en naît une seule image
dans le miroir de la poésie

20 -10

La rose de tes yeux[2] *s'ouvre à la clarté*
ton regard devient
miel de l'été

la lyre de ton corps délire
train fou du désir
sur les rails du mystère

l'univers tourne à l'envers
la magie du tambour
hante la forêt noire de l'amour

21 -10

---

2 – "la rose de tes yeux", tel devait être le titre d'un nouveau roman du
grand écrivain haïtien Jacques S. Alexis, victime de la barbarie duvaliériste comme Lorca le fut de la barbarie fasciste.

l'homme a manqué le bateau
alors il faut y aller à la nage
passer entre deux eaux
entre les barreaux

chacun tente de traverser
je me heurte à mon reflet
le miroir se brise au passage

entre le palais de feuilles
de toutes les couleurs
dont le dôme se mêle
à l'eau bleu de l'air
tapisserie mouvante du vent
tapis qui se fait et se défait
sous les pas des amants

et les montagnes dénudées
jusqu'à l'os
léché
rongé
abandonné
par la meute des revenants
sous le fouet d'un tyran

entre la fille éphémère
qui patine sur la glace du temps
puis tourne vertigineusement
au milieu de ses images
et les éternels mendiants
sur le chemin des passants
pendant que le temps met sa patine
sur le visage noir des enfants

j'ai les mains libres

le grand bassin bleu de l'enfance nous en revenons
les yeux tout rouges d'avoir trop regardé les filles
sous l'eau

le grand bassin de la vie sans cesse se vide et se remplit de l'eau
des rêves

le grand bassin sans fond où tourne l'entonnoir de la mort
quand on y plonge c'est pour ne plus remonter sauf dans d'autres
mémoires

dans ce voyage ensemble
par monts et par vaux de nos corps
nous sommes revenus de très loin
d'aussi loin que les terres inconnues de ton adolescence
d'aussi loin que la forêt vierge de mon enfance

23-10

dans la grotte du passé
source de légendes
et légende des sources
la sym'bi chante le mystère

dans la savane désolée du présent
où souffle le vent de la misère
les tourbillons de la mort
emportent les paysans

dans le tunnel noir de la faim
où le train de l'histoire semble bloqué
les ouvriers de l'avenir
et les guérilleros de l'espoir

hors des sortilèges du sort
et loin de l'épervier des loas
lanceront la locomotive de la révolution
sur les rails de la victoire

24-10

Amour
chair et esprit

Cette faiblesse pour toi qui se creuse
au plus profond de moi pour que tu y descendes tête basse ou tête haute comme tu
voudras jusqu'à nous perdre ensemble tout
au fond de moi tout au fond de toi

cette ivresse de moi qui se creuse au
plus profond de toi pour que j'y descende
tête basse ou tête haute comme il se pourra jusqu'à nous sauver ensemble tout au
fond de toi tout au fond de moi

ce vertige de toi ce vertige de moi
au plus profond de moi au plus profond
de toi pour que tu y descendes pour que
j'y descende tête basse ou tête haute
comme tu voudras comme il se pourra jusqu'à nous perdre ensemble tout au fond de
toi tout au fond de moi jusqu'à nous sauver ensemble tout au fond de moi tout au
fond de toi jusqu'à nous perdre et nous
sauver sensemble tout au fond de nous tout
au fond de nous

25 -10 -75

la guerre et la paix

l'aigle impérialiste ouvre ses ailes
et son ombre vorace s'étend sur la terre
les corbeaux se nourissent du sang de nos enfants
le vol des vautours saccage la lumière

les peuples ont chassé les oiseaux de malheur
ortolan de la liberté l'amour et ses tourterelles
hirondelles de l'éternel printemps
les peuples ont ouvert la volière du bonheur

26-10-75

le bracelet d'une couleuvre au bras
l'enfant du mystère
dévale la pente des rêves
sur la pirogue de l'aventure

soulevant une poussière d'écume
elle fend la mer de verdure
et chavire dans la forêt qui délire
l'enfant découvre son île et ses trésors

la douce amande de tes yeux
la caïmite gourmande de tes lèvres
ta langue de mangue mûre
tes dents de riz blanc

oranges ou chadèques
corossols ou quénêpes
tes seins de pommes sures
tes seins raisins de mer

dans la bananeraie de nos jambes
ton sexe de melon d'eau
couché à l'ombre de ses herbes
aussi tendre que noix de coco

ton corps corbeille de fruits
de la lumière et de la nuit
notre fruit de chaque jour
canne à sucre de l'amour

27-10

la fleur de feu de l'image la rose ardente du
langage l'oiseau flamme de la rébellion

le même orage la même rage le même merveilleux
démon

28-10

*

à la recherche de mon double
je fais l'inventaire de mes trésors

29-10

*

mon sommeil veille sur toi sur ton sommeil à toi
et l'aventure de ton esprit à l'état de veille sur tes brusques
réveils et tes retours immédiats pour te rendormir dans mes bras
sur tes rêves et ta réalité sur ton corps et ton coeur sur la
souffrance et la vie sur la voix et le cri mon sommeil veille sur
l'amour pour que si jamais tu te perds toujours je te retrouve

30-10

Je bâtis ma lumière
dans le château de verre
de la musique populaire
je me livre corps et âme
tout feu tout flammes
au vertige de ses mystères
chevaux indomptés des loas
dans la savane interdite du vodou
feux de paille de la joie
au désert de la misère
envoûtement ou délire
tout au creux de mes reins
tout au bout de tes seins
toujours le tambour
et sa magie
lac ou cascade
je pénètre le secret de ses eaux
je m'allonge dans le lit de sa rivière
qui m'emporte jusqu'à la mer

31-10-75

L'accident

Je reste roi de mes douleurs

Aragon

31 -10 -76

la mort a coupé les ailes à l'oiseau du rêve

*

la lumière était ton règne
l'ombre est ton royaume

*

il suffit d'une nuit pour que tu sois devenue
l'étrangère

*p*rès de la morte changée en sa propre statue
je te verrai toujours
à genoux et la tête haute
mon amour
image même du courage
souveraine de ton malheur
comme de mon coeur

*

*C*ouchée de ton long dans la pirogue de la mort
tu t'embarques pour l'éternel retour à la terre
natale

*

le diable de la mort nous a volé "le bon ange[3]"

*

l'oiseau du rêve renaît des cendres de la mort

7-11-76

---

3 – "le bon ange" : l'âme

Le nid

délire de la nuit
nuit du délire
le colibri du désir
retourne au nid d'amour
bijou qui se construit
de la lumière du jour

8-11-75

*

La table

sur la table de notre vie commune
sur la table de la vie quotidienne
sur la table du désir
sur la table de la mémoire
voici la fleur de ton visage
et les oiseaux des bois
et les feuilles bleues du ciel
voici les fruits de ton corps
les fruits de notre terre
tous les fruits de la mer
et c'est ainsi que s'écrit notre histoire

9-11-75

haute charnière de la lumière
aube magique
fille de la nuit et du jour
fée à qui fut promis l'amour
fou qui se joue de la mort

boulevard de la reine
reine du boulevard
boulevard de la mort
mort de la reine
reine de la mort

                                    10 –11 –75

                      *

le p'tit Simoun[4] remonte du fond des eaux
et sa cheminée sillonne le ciel de volutes blancs
comme un vol de colombes
avec au bec
le brin d'herbe de la paix

la danse nous ramène du fond des âges
et le vertige des vagues
ô vagues du vertige
délirant comme le hamac des rêves
laisse nos corps réunis sur le rivage du désir
lit dont les roues de sable nous emportent
sur les rails de l'amour
vers le pays de la folie

                                    11 –11 –75

---

4 – Bateau englouti dans la baie de Jérémie.

dans le livre blanc
du lit de la rivière
la légende des roseaux
qu'anime la voix du devin

dans le livre ouvert
du lit de la rivière
les roseaux de la légende
où souffle le vent du destin

dans le livre de pierres
du lit de la rivière
la légende des roseaux
les roseaux de la légende

d'Antoine-lan-Gonmier[5]
gardent la mémoire
et inscrivent l'histoire
des hommes et des dieux

12 -11 -75

---

5 – Légendaire devin d'Haïti, qui habitait la plaine des Gommiers, au bord de la rivière des Roseaux, non loin de Jérémie, ma ville natale

Couchés ensemble dans le cresson du rêve
l'homme et la femme boivent
à la source même de l'amour
dans la complicité de la nature
l'amitié des bêtes
la fête sauvage des fleurs
comme au temps du paradis
le paradis aux vives couleurs
des peintres populaires d'Haïti

le miracle de la révolution viendra
pour manger et boire tant qu'on voudra
s'évader de la prison de la nécessité
explorer en toute liberté
les horizons de la beauté
faire l'amour
pour l'éternité des nuits
et l'éternité des jours
ô poésie de la vie
et capter le bonheur
dans le filet des heures

18 -11 -75

*

au collier des baisers
nous restons l'un à l'autre attachés

la mort séparera nos corps
sans briser la chaîne d'or

14 -11 -75

le grand guinol du pays
ou
le pays du grand guinol

le cirque et ses clowns
le théâtre et ses marionnettes
le carnaval et ses masques
le zoo et ses singes
l'arène et ses taureaux
l'abattoir et ses boeufs noirs
le yankee et la roue de l'argent
l'indigène et la roue du sang
le vodou et ses grands Dons
la sainte famille et ses démons
le peuple et ses malheurs
l'exil et ses sauveurs
sans foi ni loi
Haïti et sa croix
Haïti en enfer
au nom du père
du fils
et du zombi

15 -11 -75

patience

Sourd à mon murmure
je m'écoute sans m'entendre

serait-ce la morte saison
où l'épi de la parole coupé
et les mots rassemblés en gerbes
il faut accorder le temps
que le grain mis en terre
élabore son printemps

ou peut-être si profond
est le nouveau filon
qu'il suffit d'attendre l'heure
où la pioche du mineur
retrouve enfin la veine
d'une abondance souterraine

lors livré à mon tumulte
je m'entendrai sans m'écouter

16-11-75

*

Alice au pays des merveilles
d'un seul saut
tu traverses le miroir des ombres
laissant ton corps derrière toi
pour te rendre au royaume des gens sans chapeau
dont on ne revient qu'en image
dans la roseraie du souvenir

17-11-75

les cactus ont envahi tous les chemins
la vase a terni le miroir des eaux
mais les flocons de neige
portent les fleurs du printemps

18 -11 -75

*

rouge comme roucou
le canari[6] a capté
outre le miel de sa peau
la forme d'amphore
des hanches de l'Indienne
dont les cruches dessinent
l'arabesque des seins
plus doux à la bouche
que la chair des abricots

fraîcheur de l'herbe
sous l'ombre des manguiers
où balance le hamac du bonheur
dans le paradis des peaux-rouges
puits des légendes
réceptacle des âmes
et des voix de l'au-delà
il immobilise la source
et ses merveilles

19 -11 -75

---

6 – Canari signifie "jarre" en créole

*l*a vie et ses trésors
l'amour et son mystère
la poésie et son secret
la liberté et sa lumière
pour que tout s'éclaire

20 -11 -75

*

*l*a pluie déplace les longs barreaux de sa cage
à mesure que les couteaux des éclairs crèvent les
outres gonflés des nuages que les cavaliers du vent
chassent devant eux comme un troupeau de boeufs dans
les pâturages du ciel

avec la corde de l'arc-en-ciel au cou le soleil
sort de l'antre de l'ombre et la vapeur des eaux de
la terre et des mers commence aussitôt à grimper
les invisibles échelles de l'air jusqu'aux pâturages
du ciel où elle se transforme en troupeaux de boeufs
que les cavaliers du vent poussent devant eux comme
des nuages dont les outres gonflées s'ouvrent aux
couteaux des éclairs

21 -11 -75

Aquarium

à Anthony Phelps

Un petit poisson rouge dans un grand bocal de verre
se change en sirène de l'océan des rêves

une nageuse éblouie par le mirage des eaux
reste prise dans la cage magique du miroir

sur le mur de la chambre où dansent les vagues
une femme s'échappe de la conque des mers

22 -11 -75

Les paysans

talons rouges et pantalons bleus relevés sous les genoux les hommes noirs frappent la terre du mouvement rythmique de leurs houes dont l'envol soudain vole au jour sa lumière

la tête droite sous la charge haute ou large les femmes à la file indienne tracent de leurs pieds nus le ruban du sentier qui mène de la montagne à la ville

le film de la vie s'est arrêté sur ces images du pays qui se répètent à l'infini et c'est le fil d'Ariane de notre peuple dans le labyrinthe de l'histoire

28-11-75

Tu ne nous quitteras jamais plus
Vestale invisible de la flamme éternelle
tu veilles sur notre amour

près de la mère d'enfance
irremplaçable maman
aujourd'hui lointaine
vivante mais irréelle
prend place la mère d'exil
qu'emporte le bolide de la mort

l'absence est présence
et comme l'autre
tu deviens immortelle

24-11-76

de la poésie du printemps à celle de l'automne
aujourd'hui est la plus belle saison chaque fois
que je plonge en moi chaque fois que j'explore les
profondeurs de mon être et c'est ainsi que s'est
fait le choix d'être ou de ne pas être je retrouve
à la fois le temps des merveilles de l'enfance et
les armes de ma libération des chaînes de mes propres
ténèbres et de celles des ténèbres extérieures

de la révolte d'Acaau à la guérilla de Péralte
la révolution sera la plus belle saison chaque fois
que mon peuple plonge en lui-même chaque fois qu'il
explore ses profondeurs paysannes et c'est ainsi que
s'est fait le choix d'être ou de disparaître il retrouve
à la fois le temps des miracles de l'indépendance et les
armes de sa libération des ténèbres de l'oppression tribale
et des chaînes de la domination étrangère

25-11-75

Suite à un poème de Paul Fort

*U*n enfant africain
un enfant haïtien
un enfant noir américain
se donnent la main
vienne un enfant vietnamien
et c'est bientôt la ronde
de tous les enfants du monde
hommes et femmes de demain

26-11-76

*

*j*e remonte l'escalier des ans
jusqu'au grenier où l'enfance a gardé
pêle-mêle ses trésors

j'y découvre un petit avion que pilote
aussitôt l'imagination

mû par les hélices du rêve que tourne
le moteur du désir
il m'emporte à l'autre bout du temps
tout au bout de l'avenir

27-11-76

*

*d*ouce ou amère
nous mangeons ensemble l'orange des jours

28-11-76

Rêvolution
(rêve et révolution)

*Il ne suffit pas de transformer le monde,
il faut changer la vie*

Le vieux nègre et l'exil

Prodigieux, parfait et prestigieux "organisateur des rêves" les plus inédits, "ordonnateur" d'un feu croisé de fantasmagories, Paul Laraque creuse, plus que d'autres, les souvenirs qui arriment tout être à son enfance. Au milieu d'un cercle magique, il défie le temps, le sérieux quotidien, opte pour une vie immensément éclatante, adopte des images et des sons enchantés, lumineux. La terre est un inqualifiable bateau ivre. Les hommes ressemblent, au milieu d'épreuves inimaginables, à des "silhouettes tragiques". Heureusement, toujours, l'imagination l'emporte sur la haine, la méfiance et la mort. Tout au long du cérémonial inouï des réjouissances les plus inattendues, les inflexions sobres et pleines de couleur de la voix poétique transgressent de façon géniale le moindre interdit et tendent vers l'expression de la plus grande tendresse après avoir, durant des moments plus ou moins brefs, mesuré l'étendue de la détresse écrasante, dévorante et incroyable, dégradante que connaissent parfois des "Antilles de misère et de rêve". Laraque fait naître des lieux inconnus tout en identifiant grâce à son travail créateur, certains lieux de la mémoire haïtienne. Car l'amour viscéral d'Haïti est mis en valeur dans ces poèmes hors pair, lucides, exigeants, parfois déchirants, souvent émouvants et grandioses, incomparables.

Silex Éditions, 1988
(Notes de l'éditeur)

L'Exil et la mémoire

à mon frère Franck,
camarade d'enfance et d'exil

Le vieux nègre s'assied en face de lui-même et entreprend l'inventaire de ce qui lui reste de ses trésors.

Au grenier d'une grande maison à balcon, il découvre une petite automobile sur jambe de bois. L'autre avait déjà disparu, ses roues, ses pédales, toutes ses pièces ayant été données ou vendues à des camarades d'enfance pour leurs propres voitures fabriquées avec des planches.

Les deux petites autos importées avaient été les premières de leur genre dans la ville. Son jeune frère et lui les avaient étrennées sur la place d'armes ou carré de l'église au grand émerveillement de la marmaille criant à tue-tête et s'agitant comme larrons en foire pour être parmi ceux qui, à la suite des propriétaires, entreraient dans ce nouveau carrousel. A ce rythme-là, les petites voitures n'en eurent pas pour longtemps et furent reléguées au grenier de la grande maison à balcon d'où le vieux nègre les exhuma.

Les années ont passé. L'enfant s'est mué en adolescent. Nous avons changé la maison à balcon et à grenier contre une autre à terrasse et à la fenêtre miraculeuse. Comme le corridor Trésor, le grand escalier de bois est devenu l'échelle de Jacob, avec, au sommet, cette ouverture sur la maison d'à-côté où une femme nue traverse la chambre nuptiale. Nue des pieds à la tête prise dans le turban d'une serviette blanche. Palais des mille et une nuits, ô souveraine du paradis et l'arbre au fruit défendu parmi la luxuriance végétale où sont tapis les fauves du désir. Te voilà figé et tremblant comme un poisson que le pêcheur ramène dans le filet des rêves. Les années ont passé. L'enfant s'est mué en homme et le vieux nègre en adolescent, à la fenêtre de l'éternité.

Entre la petite voiture reléguée au grenier et la femme nue traversant la chambre des noces, les eaux vertes de la

Grand'Anse, malgré l'apparence immobile du miroir, n'ont pas cessé de couler sous le pont de Jérémie.

Beau comme un dieu noir, un jeune poète embouche la trompette du prophète pour lancer des appels à la résistance contre l'Occupant alors qu'un vieillard, drapé dans sa dignité comme une redingote, convie les Américains à quitter le pays où ils ne sont pas les bienvenus. La nuit, déguisés en paysans, les frères Mauclair, qui avaient coupé la tête d'un Yankee à la machette, rentrent dans la ville avec leurs charges d'herbe pour les chevaux. À l'âge où l'on joue encore au lago, mon frère et moi gagnons les rangs des grévistes, à côté de notre père dont la haute silhouette domine la foule et dont la voix se répercutera à travers le temps jusque dans notre exil.

L'adolescent fait l'apprentissage de sa virilité sur les fesses de la voisine. Par la porte entrebâillée, à la lueur d'un fanal, elle soulève sa robe pour ajuster sa culotte et soudain la lumière aveugle. Caressant ses cheveux dont la couleur est celle du clair de lune sur la mer, il pénètre les secrets de ses rêves sans troubler le cabicha que berce la dodine dans l'ombre du balcon. De la soie des aisselles au satin des seins qui se gonflent sous la main, les doigts voguent allègrement et, d'un bond de pirate, s'engagent sous la lingerie où, par le long chemin des cuisses, ils partent à la conquête de la toison, que préviendra à temps un réveil en sursaut. Il faudra attendre, un autre jour, l'heure de la sieste, pour, le corps allongé tout près du sien sur le lit, découvrir sans dommage ou profit pour la virginité de l'un ou de l'autre, l'extase de l'orgasme.

Parmi les jeunes filles à peine plus âgées que lui, auxquelles il se collait dans la danse, il y en avait une dont le rire pétillait soudain, champagne d'insouciance, jet d'eau de la joie, feu d'artifice du désir; une autre un peu haletante et dont la bouche s'entrouvait comme pour mieux respirer et une autre encore qui se concentrait, le regard fixe, pour jouir de l'instant jusqu'à la limite permise en public – images que dans le tournoiement des couples lui renvoyait le grand miroir de la salle. Il ne tardait pas à le traverser, les emportant l'une après l'autre avec lui. Seuls de l'autre côté, ils avaient toute liberté de s'aimer. Jusqu'au moment où, le bal fini, il fallait rentrer chez soi pour les retrouver dans le sommeil qui, mêlant mémoire et imagination, prolongeait la réalité par le rêve.

Corps contre corps dans la foule des danseurs, le désir frappait à la porte. Puis, au dernier coup de minuit, ce fut ce baiser qui lui tourna la tête. Ivre à en perdre la raison. La soif, sitôt apaisée, s'exaspérait. Autre ville: non plus de mornes et de flamboyants mais toute plate et salée. Autre époque: le poète s'est déguisé d'une défroque d'officier... Elle dit: "zombi goûté sel", sans savoir qu'elle ressuscitait Lazarre. Mais les brûlures de l'amour étaient encore trop vives.

Après la morte saison, ce fut le temps de l'abondance. Il lui était offert plus qu'il n'en pouvait prendre. Il touchait à tout et à toutes sans se donner et sans rien garder. Le goût lui en est resté pour la vie mais aussi une insatisfaction que l'avenir ne pourra pas combler. Du moins, jusqu'à toi.

Venise et ses gondoles. Le Palais des Doges et le Pont des soupirs. Hier, Rolando Candiano, aujourd'hui Fabrice del Dongo. Ne boire une chartreuse qu'en rêvant de Parme. Nouvelle madeleine qui nous fait retrouver le temps des merveilles. Péchés immortels. Innocence éternelle. Raison ardente et vertigineuse déraison. Sans perdre de vue la réalité, percevoir ce qui se cache derrière les apparences. Par-delà le paradis perdu, découvrir la terre promise et la conquérir. Entre le rêve et l'action, il y a un fossé à franchir, au risque d'y tomber. Le voyage au bout de la nuit aboutira à la terre natale où seule l'arche populaire aura émergé du déluge de la révolution.

De la basse ville à la haute, de la Grand'Rue avec ses

magasins et ses maisons bourgeoises aux Côtes-de-fer avec ses dancings et ses prostituées, des raisins de mer mûris par le vent du nord aux flamboyants dont les fleurs rouges parsèment le chemin des processions, Boule-Tonton-Boc ou Boule-Bout-Queue était le souverain du royaume des chiens. Chaque après-midi, un groupe de gamins lui servait de cortège dans ses exploits à travers la ville. Campés sur leurs pattes arrières, la gueule ouverte sur des crocs luisants, le poil rebroussé et les yeux lançant des éclairs, les deux lutteurs mesurent leur force et leur adresse. Plus ça dure, plus la foule s'accroît et s'excite comme au temps des gladiateurs. Le spectacle se termine toujours par la victoire de Boule qui fait mordre la poussière à son adversaire.

Plus tard, ce sera la fête éblouissante des combats de coqs à la campagne. Autant de soupapes de sûreté à nos instincts cannibales jusqu'au jour où nous aurons enfin désappris la jungle.

La brise charriait un parfum d'anis étoilé. Descendu de cheval, le cavalier à moustache s'est déshabillé devant la porte mais a gardé ses jambières. Tout éméché encore de la cuite de la soirée, au milieu de la cour pleine d'arbres et d'oiseaux endormis, il est entré dans le bassin vide qu'emplissait la clarté de la lune. Eclaboussé de vagues imaginaires, il s'est mis alors à sauter en chantant "a la bon dlo se dlo reken". Réveillés, ses amis de la Grande Penserie se sont tous lancés à la poursuite des sym'bis dont l'un d'eux, poète, leur avait raconté la légende. Et leurs voix, bannissant le chômage et l'ennui, changeaient le clair de lune en eau de mer où se balançaient leurs rêves comme les voiliers de la rade de Jérémie, parmi la rutilance des poissons volants.

Je la revois en costume de bain, près de la mer, debout sur les épaules de son père. Les plus belles jambes qui se puissent imaginer. Et, par la grâce du musicien, fille aux cheveux de lin. Elle m'attirait déjà mais je ne savais pas encore que je l'aimais.

Revenu en vacances avec des camarades de promotion, je

l'ai revue à un bal de carnaval, jupe courte et bas rouges, passant de main en main. Le lendemain, en kimono de toutes les couleurs, la voilà transformée en chinoise. Je m'entendis lui dire que je l'aimais comme je n'avais jamais aimé. Elle avait fermé les yeux. Corps assemblés dans la danse, la fusion des âmes se fit silence.

Quand je revins l'année d'après, elle dansait dans les bras de son fiancé. Le jour des noces, je compris que je n'aurais plus son corps mais que son âme m'appartenait pour toujours. Dix ans plus tard, enfin prêt pour un nouvel accueil à l'ange, j'écrivais: "Je t'arrive vierge du baiser d'Athéna".

Nènel était le chef incontesté de notre bande. À l'époque des films muets que Madame Jules accompagnait au piano, il inventa le cinéma parlant. C'était tellement plus vivant d'écouter sa voix chanter "C'est moi Matéo Escaluci-o" que de le lire sur l'écran. Il nous divisait en bandits et policiers mais, comme dans la vie, c'était difficile de départager les bons des mauvais: il y en avait des deux côtés. Bien que mon frère et moi fussions le plus souvent dans des camps différents, il ne nous arrivait jamais d'en venir l'un et l'autre aux mains. Il fallait escalader de hauts murs ou dévaler des pentes escarpées et lutter dans l'arène des vastes terrasses de café pour des trésors imaginaires.

Nènel triomphait toujours. Grand et mince, il nous dominait au point que la peur paralysait les plus costauds, trop heureux de se laisser battre. "Capitaine des sables", il courait sur la plage et nous à sa suite entre les poteaux du wharf en bois, plantés dans la mer. S'il se jugeait offensé, il déléguait un de ses lieutenants pour punir le coupable. Affublé de la toge de son père, il était tour à tour accusateur public ou avocat de la défense et son verbe était fulgurant. Héros d'un roman d'aventures, sa silhouette se prolonge sur la lumière de notre enfance.

La ville est une cathédrale que dominent les ombres de deux poètes: Etzer Vilaire témoignant du désastre moral d'une génération; Edmond Laforest qui ne put survivre à la honte de l'occupation.

Frais émoulu des rives de la Seine où lui manquait la chaleur des îles, Émile Roumer officie dans la nef indigène. L'église est entourée de gendarmes en kaki sous les ordres des "marines" américains, barbares des temps modernes enfantés par le "caïman étoilé". Plus claire que l'éclat des baïonnettes dans le crépitement des balles, la liberté prend la voix de Jean F. Brierre et la rend immortelle. Alentour flottent les fantômes de Robert Lataillade et de Fernand Martineau, morts l'un à Jérémie et l'autre à Cuba d'une maladie qui ne pardonnait pas.

Plus tard, les rejoignent dans la brume de l'au-delà les silhouettes tragiques d'autres poètes jérémiens emportés par la bourrasque qui souffle sans arrêt depuis plus d'un quart de siècle sur notre pays: Roland Chassagne et Hamilton Garoute, tous deux disparus au royaume des "macoutes" et, dans la glace de l'exil, Regnor C. Bernard, le dernier en date. Il n'en manque qu'un pour boucler la boucle des *Dix hommes noirs.**

Il y avait cette jeune femme trieuse de café dont le caraco bleu, ramené à la limite du sexe, révélait des cuisses noires d'une beauté sculpturale, saupoudrées de la légère poussière des fèves. Sans en avoir l'air, je la suivais dans les rues, invinciblement attiré par ses longues formes exaltantes. Je l'ai retrouvée dans plusieurs villes de province et, chaque fois, elle me passait la corde au cou mais je m'en libérais. C'est là que se faisait le partage des eaux. Le cheval indompté se lançait librement dans la savane où cavalait la pouliche. Le coeur, quant à lui, était en cage; il battait au rythme d'un autre coeur et restait attaché à l'inaccessible. Le désir se séparait ainsi de l'amour pour me permettre de vivre corps et âme ou plutôt le corps d'un côté et l'âme de l'autre. Jusqu'au jour où l'étrangère proche par la race

---

* Oeuvre d'Etzer Vilaire

m'offrit l'espoir de leur réconciliation puis, par la force des circonstances, m'en priva. Je fus rejeté dans le désert. C'est alors que je t'ai rencontrée et que la source, de nouveau, a jailli.

La maison de tante Féfé avait l'air d'un colombier. La journée, le rez-de-chaussée était une ruche bourdonnante d'écolières butinant les premières fleurs d'un savoir limité qui les préparait au mariage ou au couvent mais les privait de tout moyen de rendre évidente l'égalité des sexes. Le soir, l'école fermée, la vie, telle une flamme dans l'ombre, se concentrait à l'étage. On y parvenait par un long corridor obscur et un grand escalier tournant à angle droit et dont la rampe n'était plus chevauchée par des gamins insoucieux du danger.

Côte-à-côte ou l'une au-dessus de l'autre, je ne sais plus, se trouvaient la chambre de la vieille fille, chapelle où s'unissaient la solitude et la prière, et celle de son fils adoptif, refuge de poète, bateau ivre voguant sur des vagues brisées pour finir par échouer sur le sable de la réalité où les raisins de l'amour redonnaient le goût de vivre et, dans les conques marines, soufflait encore le vent de la liberté.

Une fenêtre s'ouvre sur la ville légendaire: ville de lune et d'ouragans entre la montagne et la mer, avec ses colliers de rivières, sa ceinture d'arc-en-ciel et son corset de préjugés, ville que le nordé des passions a chavirée, ville fantôme où les enfants, lâchant leurs cerfs-volants, brûlaient le juif au soleil de la déraison, ville des flambloyants de l'héroïsme, ville martyre livrée aux couteaux des tueurs à lunettes noires, ville sauvée des eaux, ville-phénix qui renaîtra dans nos bras.

Le sable de l'exil

à ma femme Marcelle,
souveraine des sables de l'exil
et des quatre saisons.

Le poète est l'organisateur des rêves.

au seuil de l'éternité
l'homme rêve son passé

la frontière entre rêve et réalité abolie
le poète se fait l'ordonnateur de sa folie

l'épi d'une voix gravit
l'extrême pointe du cri

j'annonce l'âge d'or
où l'on garde aussi la jeunesse du corps

exil aux ailes de neige
aux plumes de vent
lustrées de pluies d'orage
aigle aux yeux de feu
au bec de fer
gueule ouverte du loup
mâchoire du dragon préhistorique
entrailles brûlantes du monstre
tentacules de la pieuvre impérialiste
King kong de la science-fiction
entre l'âne et l'éléphant
notre destin de singe

les gratte-ciel dont la tête traverse le mur mou
des nuages
les autoroutes aux cercles s'entrecroisant
sans risque de se couper
le vacarme des trains dont les roues percent de
buissons d'éclairs le long tunnel de l'ombre
les fourmis folles de la foule se touchant du nez
en traçant la toile d'araignée de leurs destins
toutes les fantasmagories de la ville cachent la vie

monstre au squelette de fer
aux membres de béton
au torse d'acier
à la poitrine de verre
au visage d'ombre et de clarté

ville à quatre dimensions
de la statue de la liberté à Sing Sing
de Wall Street à Harlem
ville minée de contradictions
ville des quatre saisons

géante couchée entre le fleuve et la mer
traversée d'un sexe
qui s'érecte
au beau milieu de tes jambes
ouvertes pour un nouvel enfantement

du pont de pierres blanches
dont l'arc relie
les deux rives de la vie
je vois
en sens inverse du réel
un autre village sous l'eau
miroir que traverse
nageuse des rêves
la sym'bi d'Haïti

sur le pont de pierres blanches
il y a
à ras le sol
des rails invisibles
que reflète un monde imaginaire
joignant par la flèche de l'éclair
d'un présent trop court
les ombres de la nuit
à la lumière du jour

de la lune des Indiens à celle des astronautes
de Harlem à Hiroshima
percé le tunnel du temps
soulevé le voile de l'avenir
sur l'écran du présent
l'univers réduit à l'échelle de la terre
toutes autres races éliminées
de la mémoire de nos enfants
les blancs ont peuplé les planètes
et racontent l'histoire de leurs conquêtes

dans le grenier du passé
se cache
la fée de l'avenir
dans la tourelle de l'avenir
se réfugie la sorcière du passé

troubadour de l'amour
chantant le rêve et la réalité
griot de la liberté
qui tisse l'histoire au fil de la légende
samba dont la voix
mêle la poésie et la vie

héritier de toutes les magies
raison ardente et libre folie
bambou
lyre ou
tambour
je m'invente créole et caraïbe

Les mots
grimpent les racines
de l'arbre de la parole
et deviennent
feuilles
fleurs
fruits
et à nouveau
semences en terre
pour grimper les racines
de l'arbre de la vie

pirate de cette langue
dont tu découvres les trésors
prisonnière qui te résiste et cède
tour à tour
maîtresse dont tu es le captif
docile et rebelle
tour à tour
princesse lointaine de ton île magique
dont la souveraine est venue d'Afrique
serre qui t'éloigne de tes propres terres
mer aux vagues familières
mer qui garde encore le secret des caravelles
conquise
soumise
elle demeure l'étrangère

sitôt que j'ai eu traversé le miroir de la porte
j'ai dû traverser aussi la porte du miroir
qui débouche sur un couloir
dont je ne sais où il mène
sans doute à d'autres portes
d'autres couloirs
d'autres miroirs

métamorphose magique
est-ce ton château qui s'annonce
ou le procès de ma vie qui se poursuit

harassés sous le fouet du soleil
les chevaux blancs du jour
font soudain place
aux chevaux roux du crépuscule
auxquels se substituent bientôt
les chevaux noirs de la nuit

échappés des ornières de l'ombre
les chevaux roux de l'aurore
se substituent soudain
aux chevaux noirs de la nuit
et font bientôt place
aux chevaux blancs du jour

un pied qui s'aventure
hors de l'imaginaire familier
et manque la corde raide de la vie
seule dans la nuit
le visage plongé dans le miroir des eaux
inaltérable splendeur de l'herbe
tu gardes le pouvoir de faire rêver les hommes

tour

la plus haute

jusqu'à

des jours

l'escalier

monter

à travers la lucarne du rêve
où se mêlent imagination et mémoire
confondre

dans la prairie du désir
les silhouettes des adolescentes
d'hier et d'aujourd'hui puis descendre
l'échelle de la vie
vers les campagnes et les villes
où paysans et ouvriers
ont soudain allumé
les grands feux de la liberté

le mouvement emporte le vent ou le vent porte le
mouvement
je n'en sais rien et peu importe
les rivières transportent les poissons dans leur carosse
les poissons montent et descendent l'escalier des eaux
les arbres croissent pour que les oiseaux y fassent leurs nids
les oiseaux viennent de partout pour chanter dans la chevelure des
arbres
la mer commence à la plage pour finir à l'horizon
l'horizon commence avec la mer qui finit à la plage
le caroussel des nuages se meut lentement dans l'air
le moulin de l'air fait mouvoir doucement le troupeau des nuages
des fleurs sans tige éclairent le firmament
des épis d'étoiles fleurissent les champs
les hommes et les femmes font l'amour
l'amour fait les hommes et les femmes
Josué arrête la roue du soleil
et la roue de la terre continue de tourner
des invisibles cachots qu'évoquent les rescapés de l'enfer
des invisibles barreaux de la geôle de l'exil
les loas* n'ont plus de sel

toute mer est la réplique plus ou moins somptueuse de la mer des
Caraïbes mais aucune terre n'a ce goût de fruit ou de fritures de
café noir au sucre rouge ou de canne sous la dent d'un gamin qui

---

* Loas: dieux ou esprits du vodou, religion populaire d'Haïti.

a faim de ce goût de nostalgie et d'espoir de la terre natale mêlés

comme nuit et jour ou l'homme et la femme dans l'amour
détachée de l'édifice dont elle était l'un des sommets
notre chambre voguait
sur la vague des vents
arche que la nuit emportait
vers l'île lointaine
où se mêlent ciel et terre

île de palmiers verts
et de sable blond
comme l'étrangère
île de montagnes ensorcelées
et dont les arbres musiciens ont été coupés
île de paysans noirs
traqués par les oiseaux voraces de la faim

île abandonnée
sur les ailes écumantes des ouragans
chevaux affolés de l'apocalypse
les radeaux branlants de l'espoir
emportent tes enfants hallucinés
vers les nouvelles rives du malheur

île séparée du reste du monde
île liée au reste du monde
du creux de la terre
au creux du ciel
l'eau ouvre et ferme le cercle
l'eau boucle la boucle de la nuit
au prisme des couleurs du jour

j'en ai marre
de tes loas
qui se nourissent de toi

de tes chants
qui distillent leur souffrance dans mon sang
de tes danses
qui laissent l'empreinte de tes pas dans la poussière de ma vie

j'en ai marre
des rats de ta misère
des cafards de ta peur
des serpents de ta magie
des corbeaux de ton désespoir
des crapauds gluants de ta résignation
des crabes dévorants de l'exil

j'en ai marre
de tes fuites dans l'imaginaire
de tes fuites à travers la frontière et la mer
de tes fuites folles d'enfer en enfer
j'en ai marre
de tes zombis
qui hantent mes jours et mes nuits

que te secoue soudain le vent de la colère
et tombe enfin le masque de ton tragique destin
que m'emporte sur ses ailes l'ouragan populaire
pour que naissent les hommes au milieu des éclairs
aboli tout vestige du temps des assassins
sur les terres délavés de la révolution
fleuriront les arbres de la nouvelle saison

isthme qui me renvoie l'image de cette terre
dont les fleurs ont la couleur de mon sang
et les fruits le goût du pain partagé
isthme percé d'un canal souverain
de chaque côté une île magique
pénétrant la mer comme un sexe
le couteau d'un frère à la gorge de mon peuple

la mâchoire d'un monstre ouverte sur ma presqu'île
le repaire des corsaires rendu à la pire piraterie
et pourtant livré à l'ouragan de la liberté

de toi à moi
de moi à toi
la forêt des poings levés comme des mâts
dans la complicité des flots tumultueux
de ces Antilles de misère et de rêve
dont l'une déjà libre fait déboucher les fleuves du passé
sur l'océan de l'avenir
et la rose délirante d'une femme debout
à l'ultime frontière
où l'aube est en train de vaincre la nuit

exil de givre et de neige
où sont emportées
les feuilles féériques de l'automne
au carrousel des vents

exil de givre et de neige
où s'effacent nos visages
et apparaissent les images de nos enfants
parmi les premières fleurs de printemps

exil de givre et de neige
enfer de glace d'où s'en vont
vers le soleil rouge des îles
les rescapés de la dernière mousson

*j'annonce l'âge d'or
où l'on garde aussi la jeunesse du corps*

quand le sommeil nous clôt les paupières
le rêve projette une clarté lunaire
sur nos ombres intérieures
où se reposent les fauves du désir

panthère émerveillée
une fillette
sortie de la pluie
me regarde
dans sa cage de verre

chambre noire
de la mémoire
une enfant attend

sur le gazon du rêve
tapis volant
j'explore l'inconnu

herbe folle de l'imaginaire
dans les roseaux de la vie
une image éphémère se révèle éternelle

Eve adolescente du paradis de l'amour
dont elle fut chassée
me laissant seul dans les flammes
vierges folles de la rébellion
fées possédées des loas du désir et de la mort
j'ai vécu jusqu'à la nouvelle saison

les fruits du printemps
n'ont pas tenu la promesse
de la fleur de l'hiver

les rues désertes de l'été
attendent la ronde folle

des feuilles libres de l'automne

image de l'éternel espoir
tel apparaît ton visage
au carrefour des quatre saisons

quand je ferme les yeux
il fait noir en plein jour
et c'est le temps de rêver

quand j'ouvre les yeux
tu éclaires la nuit
et c'est le temps d'aimer

femme fauve
fleur féline
dont la fibre dansante
enroule le serpent du désir
autour du tronc de ma vie
ta clarté végétale
de bête marine
mêlée à la panthère ailée
pénètre le mystère
de nos contrées inexplorées

la déréliction des images m'a fait manquer le train plein à craquer de filles aux fesses fastueuses comme à la plage à en juger par le contact étroit de sardines dans la boîte mais non par la vue car la forêt cache les arbres filant à contre-sens à une vitesse vertigineuse donc l'innocent commet ses crimes en songe et les Mandingues du sommeil ne sont pas plus extravagants que les inconnus qui font l'amour dans une voiture sous l'oeil du spectateur l'étrangère soudain déculottée qui délire les jambes en l'air belles à durcir des sens déjà alertés par la vision les yeux ouverts à travers la vitre du rêve d'une femme sous la douche caressant des fruits gonflés de sève durant le lent voyage des doigts jusqu'à la toison rousse ou au poil rare d'un sexe étoile de mer à la muqueuse ferme et tendre telle que la révèle la toujours renaissante féérie de l'accouplement des corps

> ton corps de brise de mer
> de soleil dans la rivière
> ton corps d'île en fleurs
> où les tropiques ont coulé leur miel
> ton corps d'orage et d'arc-en-ciel
> déployant l'éventail de ses couleurs
>
> ton corps qui traverse le miroir des rêves
> dans la chambre de tous les jours
> ton corps que les vagues de la nuit
> emportent vers les lieux interdits
> ton corps lampe d'amour
> où brûle la flamme de ton âme
>
> ton corps qui transcende le temps
> l'exil et sa prison
> ton corps dont la lumière
> rend les ombres éphémères
> buisson toujours ardent
> au carrousel des saisons

je me baigne dans les cascades de ton rire

eaux jaillissantes de mon délire
où ton corps dérive

quand le fleuve du malheur a débordé ses rives
emportant à la mer nos rêves les plus verts
la source garde encore son palais de mystères

les cyclones continuent d'assaillir ma presqu'île
queue d'un monstre marin échoué parmi les vagues
qui ne parviendront pas à t'arracher de mes bras

lancée vertigineuse des jambes
vers la toison secrète du sexe
étoile de mer de l'amour
oiseau du paradis perdu
île où l'homme retrouve les trésors de l'adolescence
toupie tournant au ralenti du rêve

éblouissant épanouissement de la fleur des fesses
mouvant manège de tes merveilles
envol suspendu des seins rebelles
sous les ailes déployées des bras
rames d'une barque pleine de fruits de ton corps
tendres tentacules de la pieuvre du désir
ô nuit percée d'éclairs où ton visage émerge de la tempête

mon sommeil est peuplé de fauves inconnus
qui attisent mon désir de toi
et la panthère échappée de la forêt vierge
bondit dans notre lit

quand tu t'allonges près de moi
dans la cabine des rêves
voguant sur les flots du sommeil
tu reprends par magie ton corps de jeune fille
et dans la nuit folle soudain refleurit

le buisson de roses des feux de Bengale

abolit l'enfer de la misère et ses flammes
l'homme et la femme
explorent leurs corps
et découvrent leurs mutuels trésors
les fleurs du rêve se mêlent
à celles du réel

l'oiseau du soleil s'est envolé avec
la paille des illusions au bec
l'oiseau de l'orage
est entré dans la cage
l'oiseau du paradis
éclaire notre nuit

l'épi d'une voix gravit
l'extrême pointe du cri

terre terre crie la vigie
et à travers le désert de l'Atlantique
ce seul cri unit
la vieille Europe à la nouvelle Amérique

terre où l'histoire prend les couleurs de la légende
terre où l'amour marie le cacique et la samba
la flèche et la fleur
le courage et le bonheur

terre où le premier marron fut rouge
terre où l'Afrique à la France se lie
dans un combat d'où surgit mon pays
terre où de nouveau la liberté bouge

terre où résonnèrent les bottes du Yanqui
terre que les cacos sauvèrent de la honte
terre où le fleuve de la colère monte
terre où l'aube viendra après la nuit

terre de haute combustion
terre qui tremble à déraciner les étoiles
terre où les flammes brûlent les moissons
terre qui engloutit les arbres et la sève

terre de mangues douces comme des filles
terre ivre du vésou des guildives
terre des paysans machettes au clair
terre de l'amour dans l'eau courante des jours

terre où les sirènes ont des palais sous la mer
terre des prairies bleues de l'enfance
terre où les portes de glace des rivières
s'ouvrent sur des négresses qui dansent

terre de cataclysme et de magie
terre de soleil de minuit

terre de clair-de-lune à midi
terre d'arc-en-ciel encerclant la pluie

terre où s'érigea la citadelle de la gloire
terre où la misère ensevelit les châteaux de l'espoir
terre de carnaval livrée aux sorciers de la terreur
terre où ne pousse plus que l'herbe du malheur

terre terre crie le paysan d'Haïti
et par-delà l'océan de l'exil
ce seul cri unit
la lumière de ma voix à celle de mon île

      au commencement était l'Indigène
      peuple qui avait la couleur de cette terre
      dont il connaissait les secrets et les mystères
      au commencement était la liberté
      arche d'alliance du rêve et de la réalité
      dont l'amour était roi et la poésie reine

alors commença l'inhumaine aventure de trois races dont l'une
extermina l'une des deux autres et mit l'autre en esclavage sous
la coupe des marchands d'hommes d'or et d'épices par la faute
d'un capitaine en quête d'une chimère et dont les mauvais calculs
amenèrent à la découverte d'un nouveau monde par trois
caravelles dont l'une périt et il en resta deux bientôt suivies par
une armada de négriers où les Noirs d'Afrique capturés comme
des fauves s'avalaient la langue ou sautaient par-dessus bord pour
retourner en Guinée par le passage des eaux et des ombres

      et commence l'exil
      séparé des tiens et de toi-même
      par une barbarie plus grande que la tienne
      avec ton tambour et ta danse
      tu maronnes montagnes et croyances
      et forges les armes de ton indépendance

la patrie avait été assassinée avec celui qui à la tête de son peuple l'avait créée seule une folle témoigna que la conscience n'était pas morte l'ombre s'étendit dans les mornes jusqu'à ce que parût comme un battement d'ailes d'oiseau étouffé l'aube passagère d'Acaau puis l'orage régna sur le pays et de la nuit impérialiste que Péralte coupa de l'éclair de sa machette à la nuit duvaliériste qui boucle la boucle de l'horreur des arcs de lumière de la révolution partent des étoiles filantes.

> et l'exil se poursuit
> en ton propre pays
> et l'exil se poursuit
> en dehors d'Haïti
> et l'exil se poursuit
> dans la honte d'aujourd'hui

des entrailles de l'ombre sortent des hommes nouveaux qui affrontent le monstre à deux têtes téléguidé par un cerveau électronique dont les invisibles rayons détruisent nos enfants pour construire des veaux d'or qu'enfin pulvériseront les grands feux de l'aurore

> debout
> au carrefour des vents
> rose des carrefours
> les yeux fixés sur mon île
> et les pieds dans la neige de l'exil
> silhouette détachée du temps
> c'était hier et il y a si longtemps

image de l'indien attaché à son coursier dont la course a changé de cours comme la boussole de l'autre avait perdu le nord coursier lui-même changé en caravelle galopant sur les vagues d'une mer étrangère la même devenue familière qui transporta le bétail des côtes africaines aux rives antillaises et le voyage du Noir arraché à sa terre face à l'oiseau de la mort qui le guette dans son cachot

de brumes voilà notre histoire transformée en légende et ma
légende rendue à l'histoire

      reine des jours ensoleillés de l'enfance
      fleur d'or de l'origine première
      car j'en eus deux
      mort de la mort rouge
      et ressuscité dans l'orage
      fleur de l'origine première
      avec l'or du malheur
      comme un collier de fleurs vénéneuses au cou
      laisse parler la voix des tiens enfouie
      au fond de toi
      tu n'es pas seul
      et ils ne sont pas morts
      ils traversent avec toi le long tunnel du temps
      et avec eux tu montes l'escalier des ans
      plus haut que toutes les pyramides
      des sables et des montagnes
      un poème chante en moi
      et de la nuit où plongent ses racines
      aspire à la lumière du jour
      comme jadis moi
      à l'immortelle clarté de tes yeux

toi dont mon petit-fils porte le nom donné par un père en quête de
ses pères que dans les ténèbres d'une jeunesse déracinée ta
mémoire illumina

toi le seul vainqueur de cette unique épopée que notre folie
assassina et dont l'un des prénoms se répercutera d'âge en âge de
l'armée souffrante percée de piquets enflammés de la révolte au
soleil dont l'oeil fut crevé mais entre-temps fut institué le parti de
la liberté même si plus tard sera aussi tué celui qui entre tous
porte ton nom entier

      debout

au carrefour des vents
rose des carrefours
les yeux fixés sur mon île
et les pieds dans la neige de l'exil
silhouette attachée au temps
c'était hier il n'y a pas si longtemps

à l'ombre de la huitième merveille du monde qui dresse
dans les nuages de la gloire sa grandiose inutilité le palais
des cent soucis rongé par les herbes de la misère et couvert
de la poussière de l'histoire s'étend aux dimensions du
pays de l'île des Caraïbes du continent de la terre ici avec
ses chambres de tortures où femmes et hommes sont violés
liés à la roue sanglante de la souffrance et de l'humiliation
livrés au brasier de la mort violente ou brûlés à petit feu par
la morte lente et là des avenues éclairées au néon entre des
gratte-ciel de ciment d'acier et de verre projetant des reflets
comme des miroirs où des rois de carnaval se chamaillent
en jouant à qui conduira le char alors qu'au comptoir du
passé des bijoux indigènes se troquent contre des
brimborions espagnols l'or indien contre le sang africain
au bénéfice du capitalisme et des colons blancs ce qui est
du pareil au même aux yeux hallucinés des victimes du
moulin de l'exploitation tournant au vent fou de
l'oppression et que dans les banques modernes placées
sous le signe zigzaguant du dollar s'échangent des
cargaisons de matières premières et autres produits de toute
nécessité contre des voitures d'un luxe indécent au milieu
de la contrebande de la drogue et de la sarabande des
mendiants la réalité délirante rendue par le seul délire de la
parole plongée dans ses racines les plus profondes les
généraux chamarrés de médailles et un petit médecin
déguisé en soldat sous un casque de fer et un bébé-à-vie
avec au poing comme joujou un revolver hérité de son père
prêt à tuer ceux qui n'ont pas eu la chance de fuir les
montagnes où ils n'ont plus de terre pour les villes où ils

meurent de faim les villes sans la moindre pitance pour la
capitale où ils font tour à tour la relève du chômage et de
l'apprentissage dans les factories multinationales le port-au-crime
où ils font la nuit la relève de la marche dans les rues
et du sommeil dans les galeries des maisons de commerce
et d'habitation pour la traversée de la frontière ou le
marronnage en mer et l'esclavage dans les plantations
dominicaines les chaînes dans les prisons de Bahamas et
les camps de concentration de Miami où les jettent les ailes
des cyclones où ils attrapent la maladie appelée sida la
déportation des geôles des États-Unis ou de Porto-Rico à la
grande geôle d'Haïti et de tous les camps de la mort de
l'exil interne et externe à l'explosion de la révolution
populaire à Port-au-Prince dans les provinces dans les
montagnes par-delà la frontière par-delà les mers dans ces
Antilles noeud de serpents du malheur et collier de perles
de l'espoir dans ce continent enfin nôtre et dans les autres
d'où vinrent nos ancêtres dont les enfants se retrouveront
tous dans la lumière fertile de la liberté

> légende et vérité
> la négresse aux étoiles
> tisse la toile
> des contes du pays
> aux couleurs de la Guinée

> légende et vérité
> un peuple d'esclaves en armes
> la liberté conquise
> ouvre à tous les opprimés
> les portes de la terre promise

> légende et vérité
> au sang des ouvriers
> dans les rues de Paris
> répond le sang des paysans

dans les campagnes d'Haïti

légende et vérité
les frères Mauclair
héros populaires
au Yanqui coupent la tête
à la machette

légende et vérité
un adolescent avoue son amour
à la danseuse qui ferme les yeux
et sous d'autres feux
prend le chemin de la liberté

de la forêt de la mémoire
entre Indiens et Noirs
surgit ce frère du Che
tué dans les montagnes magiques
que hante l'ombre d'Acaau
comme Péralte les hauts plateaux
et Camaño le Cibao

il dit Zapata et le Mexique
José Marti et Cuba
Sandino et le Nicaragua
Farabundo et El Salvador
et pour sauver notre Amérique
Guevara en Bolivie
Malcom X aux États-Unis

Il dit Allende au Chili
Alexis et Brisson en Haïti
et prend ici ma voix pour chanter
sans visage et sans nom
tous les martyrs de la révolution
l'aube se lève à l'autre bout de la nuit

brisant l'écran de la fiction
comme jadis en Germanie
les barbelés des camps de concentration
poussent dans le désert de nos vies
parmi les regards hagards des paysans
où se meurt l'image d'Haïti
que seule sauvera la révolution

poète capitaine de la Guérilla des pampas je ne suis pas le colonel
qui tua ton fils chacun face à la vérité de l'autre nous
reconnaissons tous deux moi que ta voie est sans doute la
meilleure et toi qu'elle n'est pourtant pas le seule qui soit

survivant de la guérilla des mornes d'Haïti comme moi du temps
de honte et de mépris face à face dans le vestibule d'un hôtel à
Cuba tu me présentes le miroir du passé où ma visite à ta cellule
de prisonnier était alors pour toi l'espoir de la liberté

face à face avec mon fils dans la prison sans barreaux de l'exil lui
et sa quête de pureté moi et le noeud des contradictions à trancher
nous reconnaissons tous les deux l'imprescriptible droit à
l'existence de l'Autre

Sphinx
au croisement de nos vies
désert et oasis de la parole
mon fils me parle par signes
dont je déchiffre mal l'énigme
Afrique Afrique
les peuples chassent les rois

ce fleuve qui remonte son cours
de Cuba à Angola
boucle la boucle d'un long périple
qui me conduisit du Nil à l'Artibonite
et avec tous les travailleurs noirs du monde

des Pyramides d'Egypte au Canal de Panama

deux fois
l'oiseau fou du rêve
a croisé ta voie
deux fois tranchée
ta tête de négresse émerge
dans l'auréole de la croix

grenier des rêves morts
inaccessibles trésors
je gravis l'échelle
jusqu'au ciel
l'ange y entra
et la porte se ferma

impossible retour aux jardins interdits
de la jeunesse et du pays natal
je m'enfonce dans ces lieux maudits
où l'ennemi conduit le bal

la farce finie
pour mon peuple et pour moi
commence la tragédie
de l'esclave et du roi

Haïti la mal aimée
à qui ils ont tout sacrifié
entre les machettes et les piques
le double visage des frères Sansaricq

je suis le spectacle et le spectateur
de la lutte du désir et de la peur
des robots et des dinosaures
de la vie et de la mort

je prends la vague dans mes bras

comme une femme aimée
et tu t'étends près de moi
comme la mer apaisée

*au seuil de l'éternité
l'homme rêve son passé*

*la frontière entre rêve et réalité abolie
le poète s'est fait l'ordonnateur de sa folie*

L'exil et l'espoir

aux guérilleros de l'aurore

Thrène pour Bernard Wah*

Visage reflétant l'énigme de l'Orient
fleuri de longs fils de soie et d'argent
plume à la main
fermée sur le dernier dessin
tel tu m'apparus
allongé dans la pirogue immobile de la mort

dans la nuit où nous montons la garde autour de ton absence
je prête ma voix à cet étrange texte
où pour nous découvrir les merveilles de Mérizier*
tu avances seul dans la clairière
à pas feutrés
vers ta demeure dernière

guetteur de couleurs à la frontière de la folie
ta silhouette unique passe et repasse
dans la forêt magique où s'est déroulée ta vie
et la fantasmagorie du monde que recrée ton art
à tavers les cris pétrifiés de ton peuple
et le prisme des larmes de Lazard*

vertige des lignes et du désir
tu inscris l'élan du fauve dans le délire d'un corps
corps de femme féline et sensible à la lyre
parmi les fruits du paradis
transformés en monstres de la nouvelle barbarie
que chasseront de la terre les guérilleros de l'aurore

---

* Notes
Bernard Wah (1939-1981, peintre haïtien d'origine chinoise dont l'oeu-vre est proche de celle de Wifredo Lam.
Jacques Mérisier, peintre haïtien de la nouvelle génération, disciple de Wah, vit à New York.
Lucner Lazard, peintre haïtien de la première génération du Centre d'Art, 1940 et co-fondateur, avec Bernard dont il était l'ami, de l'association des artistes haïtiens à New York.

la nuit parle

La sirène était reine du royaume sans partage
La tribu marchait sur tes jambes de gazelle
La source jaillissait de tes pas
Ainsi se poursuivait le chemin sans retour
Ainsi s'envolait l'oiseau sur les ailes du vent
Ainsi tournas-tu sept fois sur toi-même
Avant de t'affaisser à mes pieds

Je remontais à la source des mots
Qui dira jamais l'étendue de la dune
Où la lune mirait sa face de nuit d'amour
Je te livre les secrets du passage des fleuves
Sauvés tous ensemble ou morts au carrefour de la division
Je te demande compte du passé et du présent
L'avenir est la crête du volcan
Sauvés tous ensemble ou oiseaux morts sur les ailes du vent
A l'écoute de la nuit
j'invente la lumière

Les vers chantaient comme dansent les fillettes
Je remontais à la source des maux
L'éclair qui te déchira
a coupé mes amarres
Je te rejoins au coeur du tourbillon
dont la terre surgit couverte de rosée
comme le corps de la femme venue de la mer

Nuit du 20 au 21 juillet 1984

fidélité

mon ombre m'a lâché la main
elle s'en va seule sur le chemin
une femme s'est embarquée dans ma vie
sa lumière a chassé la nuit

Narcisse est mort au fond des eaux
les sym'bis chantent encore à la tête de l'eau
leurs images traversent le miroir du mystère
mais elles ne peuvent plus m'enfermer dans leur palais de verre

si je meurs en exil
les courants sous-marins m'emporteront aux rives natales
où mon fantôme invincible aux balles
se mêlera aux hommes et aux femmes de mon île

Le 10 août 1984

cauchemar

Ciel de sa splendeur déchu
miroir où ton image a disparu
sable où la mer vient d'effacer ton pas
horizon dépouillé de mâts
page que l'aile de nul mot n'a effleurée
toile où l'oiseau qui allait se poser
par le vent est emporté
vie que l'espoir a désertée
la prairie vidée de ses fleurs
il n'est plus de visage pour la trace des pleurs

La Source retrouvée

L'hélicoptère pendu au plafond des rêves
tourne ses hélices de bois sur le sable de la grève

un bateau dans la verdure prend le chemin de la mer
un château de verre sur les ailes des oiseaux s'embarque dans l'air

la sirène prise dans les bras du mage
voyage sur les eaux les feuilles et les nuages

les chevaux fabuleux de ce beau carrousel
galopent soudain entre enfer et ciel

dans la tempête de l'histoire un peuple en dérive
sur les vagues du désespoir découvre la rive

Mastic, été 1984

la baigneuse

j'ouvre la porte de l'inconnu
à travers la vitre des apparitions
une silhouette de femme nue

photographe du rêve et du réel
d'un coup d'aile
le regard a capté l'image inattendue

lentille de l'imagination
plaque sensible du désir
chambre noire de la mémoire

la sym'bi qu'a projetée la poésie
sur l'écran de ma vie
n'aura pas fini de m'éblouir

janvier 1985

Haïti-USA et le Nicaragua

Son corps dans la savane désolée de la vie
un pied dans un batey* voisin
l'autre dans le camp ennemi
le ciel dépouillé de ses merveilles
la mer et ses requins
un géant surpris dans son sommeil
est enchaîné
bâillonné
crucifié
par des nains

au pays des robots
les robots
mangent
boivent
forniquent
et font des robots
pour la guerre
nucléaire
et la conquête
d'autres planètes

fusils en main
et l'espoir au coeur
des hommes
des femmes
des enfants
luttent et meurent
pour que demain
soient partagés
le pain
et la liberté

---

* Plantation de cannes à sucre en République Dominicaine

Demain sauvé des eaux

ma ville a le goût des raisins de mer
et la tienne celui du sel sur les lèvres
un balcon devient le pont du bateau qui nous emporte
le port se réduit à une galerie où poussait jadis la verdure des mots
couverte aujourd'hui de cette poussière qui rend la gorge sèche
comme la faim
la soif
la peur

du village natal adolescente au coeur percé de couteaux
à la capitale où la mitraille fauchait ceux qui n'avaient plus rien
à perdre que la vie
de la plage où l'amour a pris la forme de ton corps pour s'allonger
près de moi sur le sable
à la mer dont les flots entourent la statue de pierre de l'étrangère
les roses rouges du sang sur les corps nus
et les ronces de leurs cris étouffant ma voix
femmes de mon pays les pétales de vos yeux s'effeuillent
les fruits et les hommes pourrissent sur pied
noeud de vipères de l'exil
qu'en sera-t-il de toi qu'en sera-t-il de moi

les bambous ont déserté les eaux
pour sonner l'hallali de la bête condamnée
elle fonce les cornes en avant
elle bondit
toutes griffes dehors
et le chasseur soudain devient la proie
le fleuve a rejeté les cadavres sur la rive
le fleuve a englouti les cadavres au fond de l'océan
la terre lavée à neuf se couvre de nouveaux bourgeons

le 12/2/85

les villes

pour Cos Causse

Tombouctou émergeant de la merveille de mon adolescence
ô sable de la mémoire
c'est par toi que tout a commencé
les eaux fendues en deux avec leurs murailles d'écume
pareilles aux murailles de Chine
Athènes d'un côté
et de l'autre Jérusalem
des pyramides de l'ancien monde à celles du nouveau
les caravelles de la découverte transformées en bateaux de
conquête
le Cap réduit en cendres
et sur ces cendres les soldats noirs de la liberté
le blé en herbe de la Commune de Paris
et Madrid comme une cathédrale engloutie
alors que Guernica vole en éclats
d'une guerre à l'autre
villes désormais jumelées
Shangai renaîtra à Stalingrad
de Soweto coeur noir des mines de diamant
à Harlem âme noire de l'empire de l'argent
hier Hanoï aujourd'hui Beyrouth
de Moncada à la Sierra
la Grenade pas plus grande qu'une grande ville
mais chargée des promesses que réalisera Managua
Santo Domingo trouvera sa route
entre Hinche* sur la croix du Yankee
et Jérémie** une flèche empoisonnée au coeur
je vois des villes où l'oiseau de l'espoir s'est posé

Février 1985

---

* Ville où est né Charlemagne Péralte, chef de la résistance haïtienne contre
l'occupation américaine.
** Ville natale du poète, livrée au massacre par Duvalier.

le miroir

ton image apparaît dans le miroir
pour dire
le poème de la ville déchirée
exsangue
les bras en croix
les jambes écartées
le sexe
et les yeux
morts
ô morts
de mort violente
morts
de la mort lente
de la mort blanche noire jaune rouge
les morts renaissent à l'aurore
ton image disparaît
et le miroir prend feu

New York, le 4 juin 1985

tu vas t'émerveiller

Pour nos petits-enfants; à chacun d'eux, en particulier.

tu vas t'émerveiller de ta propre existence
tu vas t'émerveiller
tu vas t'émerveiller des fééries de la lumière
tu vas t'émerveiller
tu vas t'émerveiller de découvrir l'univers
tu vas t'émerveiller
(mais pas de la misère)

tu vas t'émerveiller de la forêt de l'adolescence
tu vas t'émerveiller
tu vas t'émerveiller de la clairière miraculeuse de l'amour
tu vas t'émerveiller
tu vas t'émerveiller de la nuit tissant les fils du jour
tu vas t'émerveiller
(mais pas de la souffrance)

tu vas t'émerveiller de l'arbre de la connaissance
tu vas t'émerveiller
tu vas t'émerveiller des prodiges de ta race
tu vas t'émerveiller
tu vas t'émerveiller de l'épopée des masses
tu vas t'émerveiller
(mais pas de l'exploitation)

tu vas t'émerveiller du changement des saisons
tu vas t'émerveiller
tu vas t'émerveiller des bonds fauves de la révolution
tu vas t'émerveiller

tu vas t'émerveiller des grandes chevauchées de la liberté
tu vas t'émerveiller
(mais pas de la guerre)

tu vas t'émerveiller du ciel et de la terre
tu vas t'émerveiller du vent et de la mer
tu vas t'émerveiller des fleurs et du pain
tu vas t'émerveiller d'hier et de demain
tu vas t'émerveiller de l'aube des paysans et de l'aurore des ouvriers
tu vas t'émerveiller des noces du rêve et de la réalité
tu vas t'émerveiller

Phila, 2 octobre 1985

les guérilleros

les guérilleros viennent de la nuit
leurs armes sont la lumière

les guérilleros portent l'orage
leurs balles sont des éclairs

les guérilleros avancent sous la pluie
l'arc-en-ciel est leur bannière

les guérilleros sont les nouveaux mages
et la révolution l'étoile polaire

N.Y. le 28 nov. 85

La dernière saison

(inédit)

Haïti 1986
ou
la danse sur le volcan*

à mon frère Guy

il faudra l'éruption du volcan pour que cesse la danse
la montagne et ses cendres écarlates pour engloutir les
    châteaux de l'inconscience
le fleuve et ses laves de feu pour chasser la puanteur où la
    négraille grouille comme des vers

le griot retourné aux sources africaines
parle d'un pays en trois morceaux
Haïti de la piraterie
Haïti de la bouffonnerie
Haïti de la tragédie

entre la tête d'or du monstre
et ses jambes que la gangrène pourrit
ces vastes terres vagues ce *no man's land*
dont l'une des frontières atteint les cimes glacées du mépris
et l'autre voisine avec le cratère d'où jaillissent les hautes
    flammes de la colère
il faudra l'explosion du volcan pour que cesse la danse

    sauf sur la mer

face à la masse blanche du palais assis sur ses pattes
au milieu des flots verts qui lèchent les pieds du grand escalier à
    demi circulaire

Note
* Titre d'une oeuvre de Marie Chauvet, grande romancière haïtienne
morte en exil.
Poème paru in *Le vieux nègre et l'exil* (Paris, 1988)

liberté en guenilles
liberté nue
le peuple a conquis la parole et les rues

j'ai vécu pour ce jour où je plonge dans mon peuple
comme dans les flots verts de mon enfance
l'embouchure de l'adolescence dont le courant m'emmène
      à la mer

femme dont je suis né
toi qui m'a ressuscité
femme qu'à ton image j'ai créée
l'itinéraire du poète débouche sur l'épopée

Colomb jeté à la mer avec son épée et sa croix
dans le sillage des caravelles les négriers des colons les cuirassés
      de l'Occupation et les bateaux sans mâts des marrons de
      l'océan
dans le sillage des caravelles de Colomb
jeté à la mer avec son épée et sa croix
et à sa place
machette au clair
Péralte debout
porté par les vagues de la liberté
l'itinéraire du peuple débouche sur l'épopée

je me baigne dans les eaux de l'avenir
je vogue sur la tempête qui balaie l'île
je vogue dans la gueule de l'orage qui laisse la terre neuve comme
      au premier jour

femme
j'ai vécu pour ce jour où je plonge dans mon peuple
comme dans l'ouragan de l'amour

New York, le 27 avril 1986

Phénix

à Rosemary Manno

Quand la vieillesse a mis son masque à mon visage
Il ne reste plus rien du beau temps des mirages
La flèche de l'éclair a déserté l'orage

Mais au bout du fusil luit l'étoile des mages

Poème pour New York

pour Jack Hirschman[1]

Les oiseaux du chauffage chantent dans les tuyaux
Le souffle encore brûlant du désert de l'exil
a envahi l'espace où l'amour prend asile
il ne reste plus que l'oasis des fenêtres

dans les rues au néon de la ville fabuleuse
gisent les cadavres gelés des sans-logis
Harlem Brooklyn révèlent leurs taudis
où les enfants des pauvres meurent de faim et de froid

la belle femme fatale offre son coeur aux riches
elle chasse de son royaume le poète rebelle
les neiges du Capital ne sont pas éternelles
seule compte désormais la lutte des damnés

New York, le 22 avril 1989

---

1 – Poète marxiste américain, fondateur de la **"Brigade Culturelle Jacques Roumain"**.

Lettre-poème à Roland Morisseau

à travers le dédale de la tragédie personnelle et collective
    je découvre ton malheur
par la voix d'un poète dont les mots en croix jettent un défi
    à l'interdit
voici des hiéroglyphes
des signes en zigzag
en marches d'escalier
pour m'amener à toi

tu fais d'un prénom une quête insensée
et du titre d'une vieille chanson une aventure lyrique
la découverte de soi
une geste de vocables et d'ailes
vertigineuse ronde d'enfants où tu te perds
    et te retrouves
miroir ivre qui tente de capturer l'image éclatée
    et sans cesse renaissante de la femme aimée

je revois ton visage au sourire de sphinx
et ton ombre cassée dresse dans la lumière
la silhouette d'un des frères qui ne se ressemblent
    guère
accueille cette lettre en zigzags
ces mots en marche d'escalier
qui cherchent leur voie
    jusqu'à toi

New York, le 17 décembre 1991.

Poème paru in *Encres vagabondes*, No. 1, janvier–avril 1994.

Fidélité

dans le crépuscule où s'est noyée l'aurore
les peuples reculent parmi les ronces de l'histoire
tous les moteurs tournent à l'envers
marche-arrière dans le tunnel du temps
mais rien ne peut empêcher que les lendemains aient chanté
ils chantent encore dans la rouge mémoire des combattants
la liberté passe la corde au cou du désespoir
le sel de son baiser a réveillé les morts
et se poursuit la longue marche des damnés de la terre
dans l'aurore où le crépuscule s'est noyé

New York, le 16 septembre 1992.

chassé-croisé

Nous avons quitté la carlingue vitrée de Pèlerin pour le dernier refuge de l'exil. La patrie nous était, une fois de plus, interdite. Guy assassiné, les ponts restent coupés. Nous ne sommes pas moins solidaires de la lutte de notre peuple. L'espoir est plus long que le malheur. À la télé, sexe et violence prédominaient. Une arme à la main, l'un des personnages m'encourageait à joindre l'aventure. Je connaissais le mot de passe pour entrer dans l'appareil mais pas pour en sortir. La frontière du songe franchie, de belles filles en bikini envahirent le salon et le changèrent en plage où les vagues de la mer mouraient à leurs pieds, non sans lécher la courbe miraculeuse de leurs jambes.

Je revenais à peine de mon saisissement que, chassant naïades et satyres, ma femme rentra, avec des nouvelles d'Haïti. Je fus pris entre la lumière de sa présence et les ombres qui ne cessaient de s'accumuler sur notre pays. Peu à peu, le soleil renaissait à travers les frêles barreaux de la pluie. Par la fenêtre ouverte au vent du rêve, l'arc-en-ciel pénétra dans l'appartement qui mit les voiles vers Port-au-Prince où les pauvres vibraient à la voix de leur prophète.

(New York, le 12 avril 1992).

P.S. – Pas de Christ sur la croix. L'Occupant est roi. L'illusion finie, la lutte se poursuit.

New York, le 21 janvier 1995.

le bateau et le capitaine

Un bateau sans capitaine
aux mutins livré
et de pirates assiégé
perd le nord
dans la tempête
et fait eau de tous bords

un capitaine sans bateau
lâché dans la jungle
son royaume perdu
escalade les nues
et le retour interdit
voyage autour de la nuit

un bateau sans capitaine
un capitaine sans bateau
se cherchent sur les eaux
entre l'aigle et les requins
qui dévorent nos enfants
se joue notre destin

l'arche

la vigne au frigo
Noé s'enivre de son bateau
l'arche se balade
par monts et par vaux

*

l'Irak comme le roseau plie
Israël se multiplie
la terre aux Américains
le déluge n'a pas pris fin

N.Y., 15/1/93

évocation

jambes nues
qu'assiègent les vagues du désir
tu es entrée dans ma vie

l'amour pour boussole
le paquebot a levé l'ancre
tes yeux éclairent la nuit

N.Y., le 21 janvier 1995

les réserves

à Marie-Hélène Laraque

la terre des Indiens
est une lune rouge

la nature et les anciens
tissent les mêmes liens

sous la roche du passé
dorment les anguilles

montre sans aiguilles
le temps s'est cassé

rien ne bouge
l'avenir est préservé

New York, le 13 janvier 1993.

Pâque (s)

Cet amour feu de port
qui monte la garde aux portes de la mort
cet amour été ou hiver
nous couvre de sa lumière

*

cet amour des mauvais temps
où il fait beau temps
cet amour de tous les temps
est notre présent

New York, le 9 avril 1993.

carnaval haïtien

le mulâtre Malice sous un masque blanc
le nouveau riche sous un masque noir
sans masque
Bouki entre le tambour et la croix
claquant son fouet
le diable impérialiste mène la danse

(sans date)

que reste-t-il

Sur les débris du songe
triomphent crime et mensonge
l'espoir crucifié
la flèche au coeur de la liberté
que reste-t-il
de notre avenir
sinon ressusciter

19/4/92

Un nouveau continent *

à Jean Métellus

Combattants de l'aube qui chasse les derniers monstres de la nuit
au carrefour dont la barrière s'ouvre au souffle de l'espoir
les héritiers du cacique et de la samba
te regardent à la tête de la meute européenne
les fusils et les chiens l'esclavage et la vérole
conquérant ce continent auquel tu ne laissas même pas
ton nom

Les flammes de la Nativité ravagèrent les champs de canne à
sucre La révolte capta la colère des dieux Les couteaux affilés au
long des siècles et les torches de l'insurrection affrontèrent l'épée
et la croix La colonie s'écroula.

Caravelles muées en galères elles-mêmes transformées en
paquebots de luxe et navires de guerre Miroir aux alouettes des
élections et double épervier de la dette Tes descendants nous
forgent de modernes carcans.

Le temps des épices est passé
ô barbarie plus grande que l'ancienne
l'invasion des robots a commencé
Tes forces déchaînées sont vouées à la défaite
Les racines de l'arbre dont Louverture parla
repoussent aujourd'hui au pays de Mandela
Traversant les vieilles frontières des races
les peuples que tu as unis malgré toi
partent à la découverte d'un nouveau continent
où l'or soit partagé et règne la liberté

Port-au-Prince, le 15 septembre 1990.

* Poème paru in *Europe* (revue française), mai 1992, No. 57 (p 157).

La fin d'un monde*

à Edgar Gousse

La plus haute tour s'est écroulée
La conquête des esprits suit celle des continents
L'espace est aboli mais pas le temps
Sous l'oriflamme – or et flamme – de ses sentinelles
La Pax Americana ouvre sa mâchoire de caïman affolé

Le chômage et la prostitution le racisme et la drogue
Les fauves du marché libre sont lâchés
La révolution technologique
confisquée par les robots
mondialise la misère des masses

Sacrifiée à l'autel des promesses
Haïti à genoux
la corde de la tutelle au cou

Face à Fidel Castro
debout sur les ruines de l'embargo
le Pape bénit Cuba

Les peuples ne meurent pas
Guérillero de l'âge nouveau
Che renaît à Chiapas

New York, le 6 décembre 1996

---

* Poème paru in *Ruptures* (La revue des 3 Amériques), No. 13, octobre 97–mars 98 (p 90).

*La saison des comptes**

à la mémoire de mon frère Guy F. Laraque

la femme qui passe avec son sourire
et l'homme qui cherche son ombre
se rencontrent au carrefour de Legba
mais ne se reconnaissent pas
que faire
sinon t'égarer
sur les pas de l'aimée
forêt du Petit Poucet
village d'Antoine-lan-Gommier[1]
les arbres chantent comme les hommes
ou les hommes chantent comme les arbres
à la tête de l'eau
sous les sept couleurs de l'arc-en-ciel
la sim'bi donne du sel aux zombis[2]
c'est la dernière fée qui restera

*

se livrer au sommeil
pour que la poésie s'éveille

---

* Poème paru in *Sapriphage*, "Présence d'Haïti", No. 22, été/automne 1994 (p 69)
1 – Antoine-lan-Gommier: légendaire devin d'Haïti
2 – sim'bi: sirène; elle apparait "à la tête de l'eau" (source) pour séduire les hommes et les emporter avec elle au fond des eaux.
zombi: individu mis en état de catalepsie, ("mort-vivant") pour être affecté aux travaux des champs; selon la légende, il peut recouvrer la conscience seulement s'il goûte du sel.

Erzulie au bois dormant
sous l'arbre vert du serpent
samba de la nuit rouge
l'ombre du marron bouge

*

l'herbe que soulève le vent
est la chevelure de l'enfant
tué par son père
c'est la chanson que la nuit emporte
jusqu'à l'oreille de la mère
qui veille à la porte
ou est-ce l'enfant
qui a tué son père
et chante sa déraison

*

Joseph au pays de merveilles
pays perdu
et retrouvé

merveille de l'adolescence
où s'aimer
dans la liberté
traversé le miroir
avec la clé des champs
mythe ou histoire
Ogou tue les méchants

*

les Blancs ont débarqué
le petit soldat est tué
le pays conquis

les Blancs sont repartis
les rois nègres
sont les lwas[3] de la mort
démasqués
les rois nègres
ne sont plus rois
seuls le sont les étrangers

*

après la danse
les tambours sont lourds
et les saints sont sourds
la femme a cassé les eaux
mais ne peut pas accoucher
il faut le couteau
pour que naisse la liberté
organisation et résistance
sont les clés de la délivrance
la révolution n'aura pas avorté

*

contes à faire dormir debout
ou rêver les yeux ouverts
voici venir la saison des comptes
le temps de briser notre croix
et ceux qui nous crucifient

---

3 – Lwa: esprit, dans la mythologie du vodou (religion du peuple haïtien) comme, par exemple: Legba, principal intermédiaire entre les vivants et Dieu (il ouvre les barrières comme Saint Pierre les portes du ciel); Erzulie, "déesse" de l'amour et Ogou, "dieu" de la guerre ou de la révolution.

le temps pour Bouki[4] de récolter
le temps de changer le temps
et de transformer le rêve en réalité

---

4 – Bouki: personnage créé par l'imagination populaire, symbolisant la force physique et la naïveté de l'exploité en face de Malice (Malis, en créole) qui personnalise la ruse et l'habileté de l'exploiteur.

Épilogue

Quand tu as la grâce

Quand tu as la grâce d'avoir une femme avec qui partager
le pain quotidien de l'amour
Quand tu as la grâce d'avoir vécu ta jeunesse dans ton pays
et ta famille
Quand tu as la grâce d'avoir rencontré André Breton en poésie
et Fidel Castro dans le domaine de la révolution
Quand tu as la grâce d'avoir un frère comme compagnon d'exil
et de lutte
Quand tu as la grâce d'être entouré de tes enfants, petits-enfants,
parents et amis
Quand tu as la grâce d'avoir Jack Hirschman pour camarade,
préfacier et traducteur
Quand tu as la grâce d'apporter ta contribution, si minime soit-
elle, à la culture de ton peuple
Quand tu as la grâce de croire que le poète est la conscience
du monde
Quand tu as la grâce de garder intact l'espoir que la liberté
règnera sur cette terre
– il est alors temps de rendre grâce à la vie

New York, le 25 octobre 1997.

Paul Laraque

*N. B. Malgré la disposition des lignes, ce texte n'est pas un
poème : ce n'est qu'un billet à moi-même.*

Documents et photos

À "Bowen Field", débarque le 4 décembre, le grand écrivain français André Breton, accompagné de sa femme.

Le poète est reçu à l'aérodrome par de nombreux amis et admirateurs parmi lesquels on peut remarquer: (à gauche du couple Breton) M. Paul Laraque, Mme. W. Lam, Dr. P. Mabille, le peintre Wilfredo Lam; à droite: René Bélance, Mme. Mabille, Regnor Bernard, Edris St. Armand et M. de Peillon, Ministre de France.

Lettre d'André Breton
au poète haïtien Paul Laraque

Port au Prince 17 février 1946.

Mon cher Paul Laraque,

une des seules ombres que j'emporte de mon séjour en Haïti est de ne pas avoir su vous voir plus souvent. Je vais partir sans avoir pu même m'entretenir avec vous de vos poèmes. Toutes sortes d'idées de culpabilité me viennent ; je n'ai guère fait qu'entrevoir. Guy Clérié et la dédicace de « Ce qui demeure » m'en donne presque le remords. Pour comble de disgrâce avec vous, mon cher Ami, je vous écris trop tard et fort loin de la toute-disponibilité d'esprit que j'aurais voulue. Mais j'aime vos poèmes et j'ai la plus grande foi en vous. Je suis sûr que nous nous retrouverons hors de ce temps d'alerte. Je connais votre mesure exquise : j'avais fait plus que la pressentir dans les pages d'introduction de « Jets lucides ». Je suis sûr aussi que de longs fragments de « Ce qui demeure », que des poèmes comme « Glèbe », « Sur un toit de vent » sont très beaux. Un jour meilleur je tenterais bien de vous dire pourquoi (bien que ce soit à peine nécessaire) mais, vrai, je ne me sens pas, ce soir, assez libre, assez en état en grâce. Il faut absolument les publier.

Je gage d'ailleurs, encore une fois, que nous nous reverrons. En attendant, je vous demande instamment de ne pas perdre contact avec moi. Voici mes adresses successives : Poste restante Fort-de-France (jusqu'à fin mars) 45 West 56, New York 19 (jusqu'au 25 avril), 42 rue Fontaine Paris IXᵉ à partir du 10 mai. Je suis tout à votre disposition pour soumettre toute espèce de manuscrit de vous aux éditeurs de Paris. Il serait excellent aussi que vous me laissiez disposer de quelques poèmes pour les revues où il serait agréable de les découvrir.

J'ai vivement recommandé à Pierre Mabille de s'assurer votre collaboration à son Bulletin "Conjonction" qui peut aller assez loin. Êtes-vous d'accord ?

Croyez, mon cher Ami, à mon souvenir très durable et très affectueux.

André Breton —

Port-au-Prince, 17 février 1946

    Mon cher Paul Laraque,

    *Une des seules ombres que j'emporte de mon séjour en Haïti est de ne pas avoir su vous voir plus souvent. Je vais partir sans avoir pu même m'entretenir avec vous de vos poèmes. Toutes sortes d'idées de culpabilité me viennent: je n'ai guère fait qu'**entrevoir** Guy Clérié et la dédicace de "Ce qui demeure" m'en donne presque le remords. Pour comble de disgrâce avec vous, mon cher Ami, je vous écris trop tard et fort loin de la toute disponibilité d'esprit que j'aurais voulue. Mais j'aime vos poèmes et j'ai la plus grande foi en vous, je suis sûr que nous nous retrouverons hors de ce temps d'alertes. Je connais votre mesure exquise: j'avais fait plus que la pressentir dans les pages d'introduction de "Jets lucides". Je suis sûr aussi que de longs fragments de "Ce qui demeure", que des poèmes comme "Glèbe", "Sur un toit de vent" sont très beaux. Un jour meilleur je tenterais bien de vous dire pourquoi (bien que ce soit à peine nécessaire) mais, vrai, je ne me sens pas, ce soir, assez libre, assez en état de grâce. Il faut **absolument** les publier.*

    *Je **gage** d'ailleurs, encore une fois, que nous nous reverrons. En attendant, je vous demande instamment de ne pas perdre contact avec moi. Voici mes adresses successives: Poste restante Fort-de-France (jusqu'à fin mars), 45 West 56, New York 19 (jusqu'au 25 avril), 42 rue Fontaine Paris IXe à partir du 10 mai. Je suis tout à votre disposition pour soumettre toute espèce de manuscrit de vous aux éditeurs de Paris. Il serait excellent aussi que vous me laissiez disposer de quelques poèmes pour les revues où il serait agréable de les découvrir.*

    J'ai vivement recommandé à Pierre Mabille de s'assurer votre collaboration à son bulletin "Conjonction", qui peut aller assez loin. Êtes-vous d'accord?

    Croyez, mon cher Ami, à mon souvenir très durable et très affectueux.

André Breton

Le poète Paul Laraque (deuxième à partir de la gauche) lors d'une conférence de la Casa de las Américas à la Havane.

Lettre inédite d'Haydée Santamaría à Paul Laraque

casa de las américas
3RA. Y G, EL VEDADO, LA HABANA, CUBA

Ciudad de La Habana, febrero 19 de 1979
"AÑO VEINTE DE LA VICTORIA"

Ref: P-41

Sr. Paul Laraque
45-18 50th St.
Woodside, N.Y. 11377
EEUU

Estimado Laraque:

Su libro *Les armes quotidiennes/Poésie quotidienne*, seleccionado
en el Premio Literario Casa de las Américas de este año, cons-
tituye un hecho de particular significación para nosotros. Es por
primera vez que seleccionamos una obra de un escritor del área
francesa caribeña en nuestro Premio. Sabemos de la calidad y
la belleza de sus versos y es por eso que le hacemos llegar nues-
tra más sincera felicitación.

Estamos seguros de que una obra así, llena de valores humanos y
artísticos, abrirá nuevas perspectivas para el intercambio cultural que nos enlaza con todo el ámbito caribeño.

Felicidades pues, y reciba de nuevo nuestro saludo fraternal,

Haydée Santamaría

Une lettre inédite
*d'Haydée Santamaría**

La Havane, 19 février 1979
"ANNÉE VINGT DE LA VICTOIRE"

Ref: P-41

Paul Laraque
45-18, 50th St.
Woodside, N.Y. 11377
E.U.A.

Cher Laraque:

Votre ouvrage **Les armes quotidiennes / Poésie quotidienne***, sélectionné pour le* **Prix Littéraire Casa de las Americas** *de cette année, constitue, pour nous, un fait de particulière signification. C'est la première fois que nous choisissons une oeuvre d'un écrivain d'expression française de la Caraïbe. Nous apprécions la qualité et la beauté de vos vers; aussi nous vous transmettons nos félicitations les plus sincères.*

Nous sommes sûrs qu'une telle oeuvre, pleine de valeurs humaines et artistiques, ouvrira de nouvelles perspectives pour l'interéchange qui nous unit à toute la région caraïbéenne.

Recevez, avec nos félicitations, notre salut fraternel.

Haydée Santamaría

(Traduction: G. Jean-Charles)

---

* Camarade de combat de Fidel Castro à Moncada et à la Sierra Maestra, Haydée Santamaría fut la fondatrice de **La Casa de las Americas** à la Havane au lendemain du triomphe de la Révolution Cubaine. L'institution, qui publie une revue du même nom, célèbre en Amérique Latine, est présidée par Roberto Fernàndez Retamar, successeur de Nicolàs Guillén comme poète national de Cuba. La Casa marque l'alliance indestructible de la culture et de la révolution.

Comme l'atteste la lettre d'Haydée Santamaría, Paul Laraque (1920) a été le premier à gagner en français le **"Prix Casa de las Americas"** (poésie) 1979, avec *Les armes quotidiennes / Poésie quotidienne* dont la traduction espagnole a été faite par la poétesse cubaine Nancy Morejón, de réputation internationale. C'est de ce double recueil qu'ont été également tirés les poèmes de *Camourade* (1988), Curbstone Press (321 Jackson Street, Willimantic CT. 06226), traduits en anglais par la poétesse Rosemary Manno, avec une préface de Jack Hirschman, l'un des plus grands poètes américains vivants, fondateur de la **"Brigade Culturelle Jacques Roumain"** à San Francisco et traducteur de *Fistibal / Slingshot* (1989), recueil de poèmes créoles de Paul Laraque, diffusé par **Haitian Book Centre** de notre compatriote Max Manigat (P.O. Box 690324, E. Elmhurst, NY 11369-0324, U.S.A.).

Par ailleurs, le poème *"Petit testament"* (in *Les armes quotidiennes*) a été aussi traduit en espagnol par Jesús Coss Causse, le poète le plus caraïbéen de l'île soeur, petit-fils d'un coupeur de cannes haïtien en Oriente, qui fut le compagnon d'armes de Charlemagne Péralte, leader de la guérilla paysanne contre la première occupation militaire américaine d'Haïti (1915–1934).

Le poète Paul Laraque et sa femme, Marcelle

Notice biographique

Paul Laraque est né à Jérémie, Haïti, le 21 septembre 1920, de l'union de Franck H. Laraque et de Clarisse Léger. Il fait ses études d'abord dans sa ville natale, puis à la capitale, Port-au-Prince. Il apprend ses premiers vers des lèvres de son cousin le poète Fernand Martineau, ami de Jean F. Brierre dont la voix s'élève contre l'Occupation Américaine (1915–1934). L'aîné de quatre autres enfants: Franck, Yolande, Guy et Ruby, il entre à l'Académie Militaire en 1939 et en sort officier de l'armée en 1941. En décembre 1945, il est de ceux qui accueillent Alisa et André Breton à l'aéroport de Port-au-Prince. En janvier 1945, il est transféré en province et reçoit la lettre de Breton reproduite dans *Ce qui demeure* (Montréal, 1973). En 1950, il rencontre la compagne de sa vie, Marcelle Pierre-Louis qu'il épouse l'année suivante et qui lui donne trois enfants: Max, Serge et Danielle. De 1954 à 1956, il publie de nombreux poèmes dans la revue *Optique*, sous le pseudonyme de Jacques Lenoir. Au cours de sa carrière militaire, il parcourt le pays jusque dans les sections rurales les plus reculées – ce qui lui permet de se rendre compte des conditions intolérables de vie des paysans pauvres. Il garde la neutralité dans les événements politiques du 25 mai qui divisent l'armée, parce qu'à son avis, aucun des clans en lutte ne représente les intérêts fondamentaux du peuple et de la nation. Il est mis à la retraite fin novembre 1960, pendant la grève des étudiants et après l'arrestation de l'oncle de sa femme, Rossini Pierre-Louis. À l'heure du danger, il éloigne sa mère et les enfants mais sa femme et son père restent partager ses risques. Il prend enfin refuge à Pétionville alors que Marcelle se rend chez ses parents à Bainet, avec ses enfants.

Parti d'Haïti le 5 mars 1961, Paul Laraque séjourne à Puerto-Rico chez son ami René Bélance, puis à New York chez son frère Franck et sa belle-soeur Anne-Marie qui y vivent avec leurs enfants. Puis, il se rend en Espagne, via Paris. Muni de son visa de résidence aux États-Unis, il retourne à New York où il travaille dans un parc de stationnement de voitures. Il apprend l'anglais et suit des cours de littérature française à Hunter Collège, comme Franck qui poursuivra ses études jusqu'au doctorat. Sa femme le rejoint la même année et leurs enfants en 1962. Puis viendra Mamita, la mère de Marcelle, qui restera avec eux jusqu'à sa mort tandis que Guy et sa femme prennent soin du père et de la mère Laraque en Haïti. Professeur de français à Fordham Preparatory School (1966–1985), il obtient sa maîtrise en langues romanes à Fordham University. Membre de plusieurs organisations politiques progressistes, il est privé de sa nationalité en 1964. Il rencontre l'auteur de **Les Jacobins Noirs**, C. L. R. James, à des débats organisés à Washington D. C. par le *All African People's Revolutionary Party*, fondé par Kwame Toure (Stockley Carmichael) dont le message aux masses se résume en un mot: "organisation". Il est le premier à gagner le *Prix Casa de las Americas* en français (1979), comme en témoigne la lettre d'Aydée Santamaría, reproduite dans ce volume. Co-fondateur et secrétaire-général de l'Association des Écrivains Haïtiens à l'Étranger (1979–1986), il est l'un des principaux organisateurs du "Festival Jacques Stephen Alexis" en 1982 avec, entre autres, Franck Laraque, René Audain, Max Manigat et Cauvin Paul, puis de la commémoration en 1985 du centenaire de Charlemagne Péralte, en collaboration avec la Fondation Toussaint Louverture, représentée par Camille Gauthier et Georges Jean-Charles. Il fait partie du jury littéraire de la Casa en 1981, à la Havane où il rencontre Fidel Castro et où le rejoint sa femme, accompagnée de leur fils aîné Max qui vit au Canada alors que Serge et Danielle résident à New York et exercent leurs professions à Harlem, l'un comme éducateur et l'autre comme pédiatre. Il suggère que le *Prix Casa*, qui avait été étendu au français sur la recommandation du poète haïtien Anthony Phelps, le soit également au créole. Grâce à Marie-Hélène Laraque et, plus tard, à René Depestre, alors "poète à Cuba", il rencontre Langston Hughes à New York et Nicolas Guillén à la Havane. C'est également à New York qu'il rencontrera Rampsey Clark et Jack Hirschman, fondateur de la Brigade Culturelle Jacques Roumain à San Francisco, qui marie marxisme et poésie. Avec Magloire Saint-Aude, René Bélance et Hamilton Garoute, il est l'un des précurseurs de la poésie moderne que le groupe Haïti Littéraire propulsera tant au pays qu'en exil. Il poursuit parallèlement la voie militante héritée de Jacques Roumain et de Jean F. Brierre qui, comme Aimé Césaire, sont les représentants les plus célèbres de la Négritude révolutionnaire. Avec Morisseau-Leroy, Émile Roumer, Franck Fouché et Claude Innocent, il est de la première génération des écrivains haïtiens d'expression créole qu'illustre aujourd'hui la *Sosyete Koukouy*. Poète dans l'armée, Paul Laraque a nourri l'ambition d'en être la conscience. Au sein d'une institution exerçant plutôt des fonctions de police et parvenue à un point d'éclatement, il fallait sauver ce qui pouvait l'être. Dans les circonstances les plus difficiles de sa vie, il s'est évertué à ce que l'homme ne déméritât pas du poète. Militant, il a participé à plusieurs conférences internationales. Il a publié des poèmes et textes dans des revues haïtiennes, nord-américaines, cubaines et françaises. Vulgarisateur des merveilles de son pays, il a présenté des oeuvres d'écrivains de talent, y compris l'essai de son frère Guy F. Laraque, *Sur la Poésie*, Prix Deschamps 1992. Il a longtemps collaboré aux journaux *Haïti-Progrès* à New York et *Haïti-en-Marche* à Miami.

Après 25 ans d'exil, Paul Laraque retourne au pays natal, à la chute de la dynastie duvaliériste (1986), et sa nationalité lui est restituée. À la mise à la retraite de sa femme des Nations-Unies en 1989, il s'établit avec elle aux environs de Port-au-Prince et prépare les Nos. 3 et 4 de la revue *Rencontre*, consacrés à Jacques Stéphen Alexis (1992) et à Jacques Roumain (1993). Ses oeuvres sont traduites du français en espagnol, anglais et italien, et du créole en français et américain. Son deuxième exil commence en 1991, avec le renversement du président Jean-Bertrand Aristide et l'assassinat de Guy F. Laraque, "frère de soleil". Il se poursuit avec l'occupation multinationale d'Haïti. L'été 1994, Paul Laraque prononce le discours d'ouverture du

Festival de la Culture Caraïbéenne à Santiago de Cuba, sur l'invitation de la *Casa del Caribe* et y rencontre Jesús Coss Causse, poète cubain d'origine haïtienne. En 1996, il participe à la célébration du centenaire d'André Breton à Hofstra University, New York. En attendant le pèlerinage en Afrique, il se consacre à la complète guérison de Mamour, nom que leurs petits enfants ont donné à Marcelle, et à la publication d'une oeuvre qui exhorte les peuples à se libérer et vise, par dessus tout, à apporter une nouvelle contribution haïtienne, en français et en créole, à la poésie universelle.

Oeuvres publiées

Ce qui demeure, Nouvelle Optique, Montréal, 1973 – poèmes écrits en 1945 et publiés par les soins du poète Jean-Richard Laforest, avec une lettre autographe d'André Breton (1946) et des illustrations de Davertige.

Fistibal, Nouvelle Optique, Montréal, 1974 – poèmes créoles publiés par les soins du poète et dramaturge Franck Fouché.

Les armes quotidiennes/Poésie quotidienne (double volume), Prix Casa de las Américas, la Havane, 1979.

Poesía cotidiana/Las armas cotidianas, traduction espagnole de la poétesse cubaine Nancy Morejón, la Havane, 1983.

Sòlda mawon/Soldat marron, Éditions Samba, Port-au-Prince, 1987 – poème créole traduit en français par Jean F. Brierre.

Camourade, Curbstone Press, Connecticut (U.S.), 1988 – choix de poèmes traduits du français en anglais par la poétesse nord-américaine Rosemary Manno, avec une préface de Jack Hirschman.

Le vieux nègre et l'exil, Silex Éditions, Paris, 1988 – poèmes publiés grâce au poète, romancier, dramaturge, essayiste Jean Métellus.

Fistibal/Slingshot (édition bilingue), Seaworthy Press, San Francisco & Éditions Samba, Port-au-Prince, 1989 – poèmes traduits du créole en américain par Jack Hirschman et publiés grâce à Rosemary Manno et à Max Manigat.

La sabbia dell'esilio (Le sable de l'exil in Le vieux nègre et l'exil), Multimedia Edizioni, Salerno, Italie, 1994, choix de poèmes traduits du français en italien par le poète Giancarlo Cavallo qui préface l'édition bilingue.

À paraître:

Oeuvres incomplètes (prose).

Pwezi kreyòl.

Liberty Drum, nouveau choix de poèmes traduits du français et du créole en anglais par plusieurs auteurs américains.

Bilingual Anthology of Haitian Creole Poetry, poèmes créoles de nombreux auteurs haïtiens, choisis par Laraque, assisté de Max Manigat, et traduits en américain par Jack Hirschman & Boadida, poétesse haïtienne vivant aux États-Unis.

Table des matières